D0522824

Agathe
ou le jardin
du peintre

Collection dirigée par
Christian Poslaniec

© Éditions Milan, 1989
pour le texte et l'illustration
ISBN : 2-86726-429-4

Amélie Rangé

Agathe ou le jardin du peintre

Illustrations de
Patrick Gromy

Milan

Amélie Rangé vit en Provence depuis plus de vingt ans mais ne peut se faire passer pour une native des lieux en raison de son accent de « cul blanc » qui la trahit encore (elle est née à Paris). Autant ses activités professionnelles changent et se succèdent (tour à tour secrétaire, ébéniste, infirmière), autant sa passion pour les mots et l'écriture est demeurée constante.
A publié, avec Bernard Ciccolini, *La Corse,* Collection Mille chemins, 1984, Éditions Épigones. Les Éditions Milan ont publié *L'ice cream était presque parfait* (illustrations de Bernard Ciccolini).

Patrick Gromy est né le 17 septembre 1959. Ayant passé une bonne partie de son enfance à dessiner, il ne pouvait que finir ses études aux Beaux-Arts.
Depuis quelques années, il est illustrateur dans la région de Rennes, où il travaille essentiellement pour la publicité. Ses incursions dans le domaine de la presse et de l'édition lui ont permis d'illustrer un recueil de faits divers étranges et humoristiques, et de nombreuses nouvelles policières ou fantastiques.
L'histoire d'Agathe a été pour lui une heureuse rencontre et l'occasion d'un retour vers ses propres impressions d'enfant.

Pier Avellino était peintre, comme d'autres sont forgeron ou boulangère. Cela faisait plus de quarante années qu'il vivait dans la même agglomération. Et malgré tout ce temps passé, il n'était jamais parvenu à s'y faire des amis. Oh ! bien sûr, il connaissait les gens qui l'entouraient et ne vivait pas comme un sauvage ! Il savait prendre de leurs nouvelles lorsqu'il les rencontrait et leur parler du beau temps, mais ne pouvait en faire davantage. Il semblait s'être résigné à ne pas vivre d'amitié véritable et se contenter de ces plus ou moins vagues relations de voisinage.

Pourtant une petite fille…

Pier Avellino était peintre de métier et peintre par passion. Il vivait de sa peinture et pour la peinture.

Lorsqu'il peignait pour son travail, il utilisait une technique particulière : le trompe-l'œil. C'était son père qui le lui avait enseigné. Ce savoir-faire se transmettait de génération en génération, car chez les Avellino, on était peintre de père en fils. Un quelconque objet, vase, cruche ou compotier, peint en trompe-l'œil, donne l'impression à celui qui le regarde qu'il suffit de tendre la main pour pouvoir le toucher tant sa reproduction est exacte, précise, fidèle à la réalité.

Pier était une sorte de magicien, capable d'offrir, grâce à la maîtrise de son art, des bouquets de lys qui jamais ne se fanent, des forêts profondes, des incendies sur l'océan, des neiges éternelles sous un soleil de plomb. Et c'est pourquoi tous les habitants de l'agglomération, tous, sans exception, aimaient et appréciaient son travail. Certains lui passaient commande et, se laissant aller à leur fantaisie, n'hésitaient pas à lui demander qu'il réalise des choses extravagantes. Ainsi, pour un vieux Russe immigré, nostalgique et noctambule, il avait exécuté une fresque de plus de dix mètres de long, représentant de nuit le somptueux palais d'Hiver de Leningrad aux bords de la Néva. Depuis, le vieillard ne cessait de pleurer sur ses jeunes années et se revoyait, fringant cadet dans son beau costume militaire, écoutant au bord du fleuve le chant des bateliers. S'il arrivait parfois, comme ce fut le cas pour ce vieil exilé, que la peinture de Pier provoquât des sanglots, petites larmes amères ourlées de sel et de mélancolie, il était plus fréquent qu'elle fût reçue avec enthousiasme et cris de joie. En effet, Pier ne comptait qu'un seul client mécontent. Et le plus étonnant, c'est qu'il n'avait pas demandé l'impossible, mais un simple bouquet de roses. Mais l'homme était trop exigeant ! Certes il avait apprécié le tableau, mais à force de s'émerveiller devant ces fleurs qui ressemblaient si bien à des vraies, il avait été déçu de ne pas leur découvrir de parfum.

Mis à part cette anecdote, les amateurs de peintures en trompe-l'œil ne manquaient pas.

Lorsque Pier Avellino peignait pour son plaisir, il en était tout autrement.

Pourtant une petite fille...

Le soir venu, les habitants de la place de la fontaine bleue, en voyant Pier quitter son atelier, s'imaginaient qu'il regagnait sa petite maison, située trois rues plus loin, pour s'y reposer.

On voit bien qu'ils ne le connaissaient pas, il avait mieux à faire que se reposer ! « Sa » peinture l'attendait.

Pier avait deux peintures. Il se serait appelé Cadet Rousselle qu'il en aurait eu trois très certainement. Il y avait la peinture gagne-pain : celle des trompe-l'œil, qu'il faisait par profession, à la demande de ses clients, qu'il exposait et vendait. Et puis il y avait l'autre. Celle qu'il vivait avec passion, et pratiquait pour son seul plaisir. Celle dont il ne voulait se séparer. Celle-là même qu'il n'osait plus montrer.

Il n'en avait pas toujours été ainsi. Au début de son installation dans l'agglomération, il avait espéré que, mieux qu'un long discours, sa peinture saurait parler pour lui, l'aider à se faire des amis, tisser des liens avec ces gens qui ne le connaissaient pas encore. Malheureusement ses nouveaux voisins ne comprirent pas son langage. Autant ils surent être immédiatement séduits par sa peinture en trompe-l'œil, autant cette autre, miroir de son imagination, leur parut incompréhensible.

Insensiblement, Pier se replia sur lui-même et referma les portes de son atelier pour ne plus y laisser entrer que le soleil.

Au printemps dernier la maison qui se trouvait à côté de celle de Pier fut louée par un jeune couple. Et bien qu'elle soit demeurée fermée durant quatre années, le peintre ne s'était jamais plaint de n'avoir personne à qui souhaiter le bonsoir lorsqu'il rentrait chez lui après sa journée de travail. Pour la première fois, Pier eut des voisins bien à lui. Un voisin et une voisine. L'assortiment aurait été parfait s'il n'avait fallu lui ajouter une petite fille envahissante. Mais c'était ainsi ! Le jeune couple était arrivé avec et pensait bien un jour repartir de même. Il est en effet fréquent que les petits enfants suivent leurs parents dans leurs déplacements.

Mais pour cette enfant-là, cela paraissait peu probable, tant elle affichait d'indépendance et semblait les avoir quittés depuis déjà fort longtemps. Elle n'était pas encore arrivée dans sa nouvelle maison, qu'elle partait visiter celle d'à côté.

L'invasion avait commencé.

Pier, vieilli et fatigué, n'était pas préparé à ce raz de marée qui allait bouleverser toutes ses habitudes.

Leur première rencontre fut orageuse.

— Tu ne devrais pas faire comme ça !

Pier, occupé à tracer l'esquisse d'une nouvelle toile, se retourna brusquement en entendant l'irrévérencieuse phrase. Dans l'embrasure de la fenêtre, la petite bouche de l'enfant des voisins reforma les mots de son impertinente remarque, qu'elle accompagna cependant d'un magnifique sourire.

— De quoi je me mêle ! Y'a rien à voir ici ! Bou ! bou ! et Pier, furieux, fit mine de se précipiter sur la fenêtre pour faire fuir l'enfant. La petite fille s'échappa vers sa maison. Quand elle fut suffisamment éloignée, assuré de ne pas risquer de la blesser, Pier lança son fusain dans sa direction comme un vieil

instituteur en colère qui jette des craies sur ses élèves parce qu'il ne supporte plus les éclats de rire de leur jeunesse.

La journée s'écoula sans que Pier soit une seule fois satisfait de son dessin. Il bougonna sans relâche et accusa la petite fille d'être à l'origine de son mauvais travail et de se mêler de ce qui ne la regardait pas.

Le lendemain, la petite fille des voisins était de nouveau là à l'espionner. Par prudence, elle se tenait à quelques mètres de la fenêtre. Elle chantonnait et faisait semblant de s'amuser, de jouer à cloche-pied. Les petits regards furtifs qu'elle jetait du côté de l'atelier n'échappaient pas à Pier, qui ne travaillait plus mais passait le plus clair de son temps à la regarder. Il l'aurait bien encore chassée à coup de fusain, s'il n'avait pas tant craint d'envenimer ses tout nouveaux rapports de voisinage avec les parents de cette enfant espion. Il se résigna donc à n'en rien faire et opta pour une nouvelle stratégie. Il s'agissait d'ignorer l'enfant. Il se remit au travail.

Parfois, des bruits sans importance venaient le distraire, comme le goutte-àgoutte du robinet de la cuisine qui ne fermait plus bien ou comme un bruissement de feuillage au fond du jardin. « Le chat des voisins qui se promène ». Et Pier imaginait que ses voisins avaient un chat, pour mieux oublier sans doute qu'ils avaient une fille. Car c'était bien d'elle dont il s'agissait. Dissimulée sous la haie de troènes, elle l'observait tout en grignotant des gâteaux. Ni la mauvaise humeur de Pier ni le jet de projectile n'avaient réussi à la décourager. Bien au contraire. Cet homme l'intriguait. Que faisait-il ? Pourquoi s'enfermait-il ? Était-il possible qu'il peigne à longueur de journée sans jamais s'ennuyer ? Cela paraissait bien incroyable à cette petite fille qui ne pouvait jamais, les jours où il pleuvait et où il fallait bien s'occuper, rester plus d'un quart d'heure à dessiner sur son ardoise magique.

« Mais comment fait-il donc ? » se répétait-elle.

Décidée à comprendre ce mystère, elle vint régulièrement se poster au fond du jardin afin de surveiller les activités de son voisin. Après plus d'une semaine d'observation silencieuse, elle n'en savait pas davantage. Ce n'était pas drôle ! Tant qu'elle resterait dehors et lui dedans à l'ignorer, elle n'apprendrait rien de nouveau. Il fallait attirer son attention, l'empêcher d'être le seul à s'occuper, même si ses occupations paraissaient impensables, lui dire qu'elle était là, curieuse de faire sa connaissance.

La surveillance jusqu'à présent discrète devint subitement bruyante ; les troènes furent secoués avec force, les gâteaux mangés à grand bruit et leur papier d'emballage froissé avec insistance. Bien évidemment, Pier surprit cette agitation sonore et sa première réaction fut d'en être contrarié. Puis comme l'enfant, forte de son succès, redoublait d'énergie et d'inventions pour perturber sa vie, il s'étonna de son obstination et s'amusa même de ses efforts à faire du chahut. Alors qu'il aurait pu se plaindre de cette enfant qui assiégeait sa maison, il s'arrêtait parfois de travailler pour la regarder. Mais que lui voulait-elle ? Pourquoi s'agitait-elle ainsi ? N'avait-elle pas peur de se faire gronder ? Quel nouveau tour allait-elle encore inventer pour faire du tintamarre ? Croyait-elle vraiment qu'il ne l'avait pas entendue ? Pier se posait mille questions pour comprendre le petit diable qui s'agitait au fond de son jardin. Mais il n'essaya plus de le chasser, car il avait bien trop peur d'aggraver la situation et que sa vie devienne véritablement infernale. Car enfin, ce n'était pas si grave, il arrivait encore à peindre. Bien sûr il regardait de plus en plus souvent par la fenêtre, mais quelle importance ! C'était même parfois amusant d'essayer de deviner ses tours, de voir sans être vu.

Ainsi, à force de s'espionner l'un l'autre et sans qu'aucune règle ne soit définie, il s'établit une sorte de jeu entre l'homme et l'enfant. Lui faisait mine de ne s'apercevoir de rien, elle de ne pas réussir à se faire entendre.

Les jours passaient et Pier s'efforçait de vivre comme si la petite fille n'avait jamais envahi son jardin. Ce n'était pas facile, elle était là, tout à côté, et il lui semblait même que la distance qui les séparait diminuait chaque jour. Peu à peu, l'enfant devait se rapprocher de la fenêtre ; il en fut tout à fait persuadé lorsque, ne parvenant plus à l'apercevoir à travers son carreau, il commença à distinguer parfaitement les paroles de la petite chanson qu'elle fredonnait invariablement. C'était d'ailleurs une bien étrange chanson...

Un jour, la petite fille manqua son rendez-vous et ne vint pas chanter dans le jardin du peintre. Ce dernier en conçut une profonde tristesse. Jusqu'à ce jour d'absence, Pier ne se doutait pas qu'il s'était attaché à cette enfant au point qu'elle lui manquât.

Une petite fille aux doigts blancs
s'amuse comme de coutume
à voler au-dessus du bitume

C'était la chanson de la petite fille des voisins qui résonnait de nouveau dans le jardin. Pier se tourna aussitôt vers la fenêtre. La petite fille était de retour, son nez pointait déjà dans la pièce.

— Mais où donc étais-tu ? ne put s'empêcher de demander Pier.

— Dis, tu veux bien m'aider à monter sur la fenêtre ?

Il l'aida ; elle s'assit sur le rebord, les pieds ballants à l'intérieur de la pièce.

— Que t'est-il arrivé que je ne te voyais plus ?

— Je croyais que tu ne me parlais pas et que tu ne voulais pas me voir.

— On change parfois, répondit Pier. J'ai dû m'habituer, sans le vouloir, à tes petites visites ; alors tu m'as manqué.

Pier se tenait près de l'enfant. Et l'enfant, assise sur le rebord de la fenêtre, regardait autour d'elle en balançant doucement ses petites jambes dans le vide. Le peintre, adossé de trois quarts contre le mur, un bras derrière le dos, maintenait son équilibre sur une jambe tendue, alors que l'autre, fléchie, légèrement en retrait, reposait sur la pointe du pied.

— Qu'est-ce que tu caches derrière ton dos ? demanda la petite fille.

Pier, comme s'il venait d'être pris en flagrant délit, ramena aussitôt son bras devant lui. A son extrémité pendait un chiffon sale. Il approcha sa main à la hauteur du visage de l'enfant et regarda le chiffon en faisant les yeux ronds, comme s'il était étonné de le découvrir accroché au bout de ses doigts.

— Je ne cache rien dans mon dos.

— Et ça ? demanda la petite fille, mécontente de son mensonge, en pointant son index vers le tissu froissé.

Après avoir longuement examiné l'objet dont il était question, le peintre déclara en riant :

— Ça, c'est mon chiffon. C'est le chiffon dans lequel j'essuie mes pinceaux.

— Ah oui, je sais. Je t'ai vu les essuyer lorsqu'ils pleuraient.

— Mais non, pourquoi dis-tu ça ? Je ne les essuie que parce qu'ils sont sales. Mes pinceaux ne pleurent pas.

— Moi, je croyais qu'ils pleuraient et qu'il fallait les moucher après. Maman me mouche toujours après que j'ai pleuré. Même que quand je suis seule, je n'le fais pas ; je renifle.

— Pourquoi voudrais-tu que mes pinceaux pleurent ? questionna Pier intrigué.

— En voilà une question ! Ils pleurent parce qu'ils sont tristes. Et pourquoi donc voudrais-tu qu'ils pleurent sinon !

La petite fille semblait agacée que le peintre ne comprenne pas des choses aussi simples. Ah vraiment, ces grandes personnes, quelles drôles de questions elles posaient parfois ! Ses jambes s'agitaient de plus en plus sous l'emprise de la colère, et Pier craignait que la fillette ne finît par tomber de son assise à force de bouger de la sorte. Elle était si petite, cette petite fille, qu'elle risquait en chutant de se faire bien mal sur le carreau.

— Bon d'accord, d'accord, dit-il pour essayer de la calmer. Mes pinceaux pleurent. Mes pinceaux pleurent parce qu'ils sont tristes. Mais, dis-moi au moins pourquoi ils sont tristes ?

La petite, excédée qu'il osât encore poser une aussi sotte question, se redressa dans l'embrasure. Pier voyait en contre-jour sa silhouette minuscule trembler sur le jardin. Il s'éloigna doucement de la fenêtre, espérant l'apaiser en s'écartant.

Alors l'enfant dit :

— Tes pinceaux sont tristes parce qu'ils ne peignent que de la tristesse.

Immédiatement après avoir entendu son explication, le peintre se tourna vers ses toiles pour les détailler les unes après les autres. Il cherchait dans sa peinture les marques de tristesse que cette enfant disait y voir. Soudain il y eut derrière lui un petit bruit sourd. Plof ! Il se retourna sur une fenêtre vide, la petite fille avait disparu. A la suite d'un mouvement trop brusque, elle avait sans doute basculé dans le vide. Il se précipita pour s'assurer qu'elle ne s'était pas fait mal. Mais sous la fenêtre, c'est à peine si les crocus, qui piquaient légèrement du nez vers le sol, gardaient encore la trace de son passage. La petite fille était déjà dans le fond du jardin. Alerté par les petits reniflements qu'elle égrenait dans sa fuite, Pier put l'apercevoir avant qu'elle ne disparaisse entre les troènes.

— Quelle drôle d'enfant ! s'exclama-t-il. Sitôt arrivée, sitôt partie ! Et la voilà qui renifle !

La nuit était venue, mais pas le sommeil. Couché dans son lit, le drap remonté jusque sous son nez, Pier était trop occupé à penser à sa petite visiteuse pour parvenir à s'endormir. Il se retourna à droite, puis à gauche. Mais rien n'y faisait. La petite fille était toujours là à le tourmenter.

Ils ne peignent que de la tristesse
Ils ne peignent que de la tristesse

Même la tête coincée sous l'oreiller, il entendait encore résonner la phrase insensée. Il se leva, enfila un peignoir, chaussa ses pantoufles et descendit dans l'atelier. C'était une nuit de pleine lune. Il n'était pas nécessaire d'éclairer pour bien y voir, l'astre lunaire diffusait sa blanche lumière. Il ouvrit sa fenêtre pour l'inviter à entrer. Puis il disposa toutes ses toiles contre les murs, plaça un tabouret au centre de la pièce et s'assit dessus. Ces toiles, il les connaissait toutes même celles qu'il avait peintes plusieurs années auparavant ; il ne les avait pas oubliées. Il se souvenait de leurs défauts. Ainsi cette grande, là, contre la porte, dont il s'approchait et pour laquelle il n'avait pas su doser ses mélanges. Sa main courut sur la toile à la recherche des légères craquelures qui perçaient par endroits le fond du tableau. Plus loin, il se rappelait ses hésitations. Sur une autre il retrouvait un *repentir* (c'est ainsi que s'appelle le changement intervenu sur une peinture au cours de son exécution. Un repentir laisse toujours apparaître dans le fond du tableau les traces de la peinture précédente). Ses mains, fébriles, passaient d'une toile à l'autre. Les doigts glissaient sur la peinture. Il fallait que Pier touche, effleure, retrouve le contact des couleurs qu'il avait étendues sur la toile. Le toucher autant que la vue accompagnaient ces retrouvailles. Après qu'il eut fait le tour de la pièce et détaillé chaque toile, il revint s'asseoir sur le siège.

Ils ne peignent que de la tristesse
Ils ne peignent que de la tristesse

Ah, l'obsédante petite phrase ! Le peintre ne voulait plus l'entendre, il ne voulait plus être blessé par une aussi petite phrase, dite par une aussi petite enfant.

Il essaya de regarder ses toiles comme s'il les voyait pour la première fois. Tristesse ? Tristesse ! Peut-être était-il trop habitué à leur compagnie pour les trouver tristes. Jamais jusqu'à ce jour il n'avait imaginé qu'elles puissent l'être. Pour la première fois depuis fort longtemps, on lui donnait un avis critique sur sa peinture. Et c'était une toute petite fille qui le lui donnait ! Il y avait là de quoi troubler le vieux peintre. Mais s'il est vrai que la vérité sort de la bouche des enfants, la petite fille avait dit la vérité : sa peinture était triste. Pier se souvenait avec quelle assurance elle avait jeté sa remarque. Il espérait : « Pourvu que demain elle revienne ! J'aimerais la questionner. Je la soupçonne de connaître des choses que même les grandes personnes ne connaissent pas. »

Lorsqu'une fois couché, la phrase « ils ne peignent que de la tristesse » revint marteler la pauvre tête du peintre, il n'en fut plus effrayé, et il lui sembla même qu'elle le berça avant qu'il ne sombre dans le sommeil.

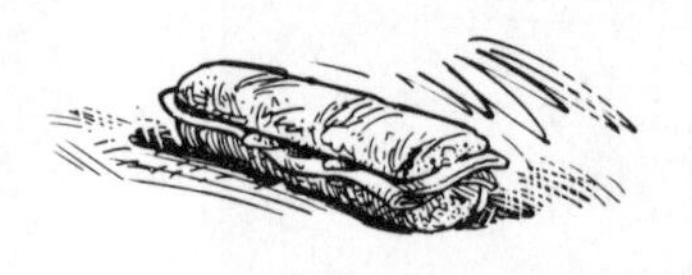

Vers les onze heures, le lendemain, la petite fille revint en tenant dans ses mains un énorme sandwich d'où s'échappaient un bout de jambon rose et le nez d'un cornichon.

— Hum ! Hum !

Arrivée à la hauteur de la fenêtre, elle essayait, la bouche pleine, de faire comprendre à Pier qu'elle désirait entrer par là et qu'il l'aide à grimper.

— Bonjour, dit le peintre en l'aidant à se hisser.

Une fois qu'elle se fut débarrassée de son sandwich en le posant sur le tabouret et qu'elle lui eut recommandé de ne pas bouger avant qu'elle ne soit revenue le manger, elle leva les yeux vers Pier et lui demanda :

— C'est parce que tu es vieux que tu peins des choses tristes ? T'es vieux comment ?

— J'ai 61 ans, répondit Pier.

— Alors, c'est peut-être pour ça.

Ne souhaitant pas sitôt entraîner la conversation sur sa peinture et sa désagréable impression de tristesse, Pier préféra, par crainte de la voir s'enfuir de nouveau, conduire le dialogue.

— Et toi, t'es vieille comment ?

— Comme 5 ans. Tu veux de mon sandwich ?

Sans attendre sa réponse, elle le partagea en deux et lui tendit un morceau. A la première bouchée, Pier reconnut le goût du bon pain de la boulangère, qui était une voisine des parents de cette enfant.

— Ce pain vient de chez ta voisine, n'est-ce pas !

— Non, ce n'est pas la voisine qui me l'a donné, c'est maman qui me l'a préparé.

Ils mangèrent en silence, chacun dans son coin. La petite fille assise sur le tabouret et Pier un peu plus loin derrière elle, sur une chaise. Quand il eut terminé de manger son sandwich, il demanda :

— Et comment s'appelle la charmante enfant à qui je dois cet excellent repas ?

— Elle s'appelle Agathe, répondit la petite fille en finissant d'avaler une bouchée de pain blanc.

— Merci, Agathe. Sais-tu que tu as un bien joli prénom. Il fut porté jadis par une sainte de mon pays, mais aussi par une rivière de Sicile que les Grecs appelaient « akhatês ». Ton prénom me plaît, Agathe. Il me rappelle ma jeunesse, mon passé. C'est un prénom tout en couleur. C'est une tendre fleur. C'est du rouge orangé, du vert et du brun mêlés. C'est une palette pour un peintre. C'est une pierre appréciée des joailliers de l'Antiquité. Une pierre qui se laisse traverser par la lumière pour mieux briller de tous ses feux. C'est l'éclat et la transparence. C'est une roche savante aux multiples couleurs. C'est un si beau prénom, Agathe, que tu peux, si tu le veux, le porter comme un bijou.

— Ah ! répondit Agathe, je ne savais pas tout ça. Je croyais seulement que c'était le nom d'un caillou ! Toi aussi tu as un nom de caillou !

Agathe se tut et sembla réfléchir.

— Où est-il, ton pays ?

— Il est juste à côté du tien, pas très loin.

— C'est lui que tu peins ?

— Oui, je pensais avoir réussi à l'oublier,

mais il revient toujours dans mes peintures. C'est lui qui ne veut pas me quitter.

— Eh bien moi, d'un pays comme ça, je n'en voudrais pas, affirma l'enfant d'une voix impérieuse. Si je vivais chez toi, j'ai l'impression que je serais toujours triste.

— Dis-moi, Agathe, dis-moi, petite enfant, pourquoi ma peinture t'inspire-t-elle tant de peine ? L'autre jour, tu t'es enfuie en pleurant. Je le sais, ne dis pas le contraire, je t'ai entendue renifler. C'est ma peinture, n'est-ce pas, qui te faisait pleurer !

— Oui, répondit-elle doucement. Elle baissa les yeux. Elle paraissait vouloir surveiller ses jambes qui battaient dans le vide.

— Aujourd'hui pourtant tu es revenue me voir, moi et ma peinture, et tu ne pleures plus.

Agathe redressa bravement la tête pour regarder Pier droit dans les yeux. Elle le fixait avec une telle intensité qu'il en fut gêné et qu'il dut détourner son regard.

— Aujourd'hui, c'est différent. Aujourd'hui, ta peinture ne me fait plus peur car je ne la vois plus.

Pier s'approcha de l'enfant. Il s'agenouilla

devant elle et ses longues mains s'avancèrent imperceptiblement à la rencontre de ses genoux ronds. Débarrassée enfin de son sandwich qu'elle avait fini par manger après bien des difficultés, Agathe demeurait assise sur son tabouret haut, les mains agrippées au bord du siège comme si elle craignait de chavirer de l'endroit où elle s'était perchée. Les mains du peintre s'étaient posées sur la peau blanche de l'enfant, mais c'est à peine si elles l'effleuraient. Ses faibles caresses étaient chargées de tant de douceur et de tant de tendresse, qu'il semblait vouloir, en les lui prodiguant, l'envelopper du seul amour qu'il n'avait jamais su exprimer ailleurs que dans ses peintures. Il ne voulait pas qu'elle ait peur. Avoir peur de sa peinture, c'était avoir peur de lui. C'était le voir noir et sombre comme ses tableaux.

Mais la petite Agathe, avec ses cinq ans d'innocence et de candeur, possédait, comme tous les enfants, d'incroyables pouvoirs. Elle avait reçu en cadeau les clés qui ouvrent toutes les portes de l'imaginaire. Pier la sentait capable de pousser celle qui cachait les chemins qui menaient au sien.

Agathe n'avait plus peur, Agathe allait parler. Et le peintre, agenouillé devant l'enfant, ressemblait à un fidèle venu consulter l'oracle. Il questionna :

— Pourquoi ne la vois-tu plus ? Serais-tu comme les adultes qui jamais ne la voient ni ne la comprennent ?

— Bien sûr que non ! dit-elle en haussant les épaules. Je ne la vois plus parce que je ne la regarde plus. Elle ne me plaît pas, alors je fais comme si elle n'existait pas. Et je m'en invente une autre, très gaie, avec toutes les couleurs de l'arc-en-ciel.

Doucement, le silence s'installa entre eux deux. Les mains toujours posées sur les genoux d'Agathe, Pier était en proie à un grand embarras. Il aimait cette enfant et savait l'écouter, mais ne parvenait pas toujours à comprendre ce qu'elle voulait dire. Tant d'années s'étaient écoulées depuis qu'il avait quitté les rivages de l'enfance qu'il ne savait plus comment les rejoindre. Il se disait qu'il fallait aller doucement, remonter sans remous le cours du temps, et que peut-être ainsi il retrouverait ces fameux chemins sur lesquels couraient les pensées de l'enfant.

Après quelques instants d'incertitude, il pensa avoir enfin trouvé le ton qu'il fallait donner à cette conversation pour ne pas la rompre. Il fallait de la joie et des rires. Il se leva aussitôt. Sur le chevalet, une toile de petit format séchait, il s'en approcha et, la voix chargée de mystère, il commença ainsi :

— Regarde bien, Agathe, regarde-moi bien.

Immédiatement la fillette le fixa avec toute son attention. Quelque chose de très important, de merveilleux peut-être allait se produire, et ce n'était surtout pas le moment de manquer ça. L'illusionniste d'occasion empoigna alors la toile à deux mains, la fit pivoter d'un demi-tour sur elle-même, puis la replaça contre le bois du chevalet.

— Et maintenant, Agathe, que penses-tu de mon tour ? Tu es assurément bien plus forte que moi si tu sais voir derrière ma peinture autre chose qu'un châssis avec ses clés et sa toile bien tendue.

Et Pier égayait sa démonstration en faisant battre ses doigts sur la toile comme sur un tambour. Tap, tapati, tap, tapata.

— Ce que tu peux être drôle quand tu fais le bête ! s'exclama la spectatrice qui paraissait bien s'amuser. (Puis elle redevint soudainement sérieuse.) Je croyais que tu étais un peintre qui peignait sans couleurs. Et un tableau sans couleurs, moi, je trouve ça affreusement triste. Mais maintenant, je sais que des couleurs, t'en mets partout, t'en vois partout. Tu en as même trouvé des tas dans mon prénom, c'est dire !... Mais t'as peur qu'on les voie tes couleurs, des fois qu'on les abîmerait à trop les regarder. Peut-être bien même que t'as peur qu'on te les chipe et qu'on aille les accrocher ailleurs. Alors tu les caches et tu fais celui qui ne sait plus où il les a laissées.

— Et toi, tu connais ma cachette, conclut le peintre en s'efforçant d'être le plus naturel possible de façon à inciter l'enfant à se livrer davantage.

Cette dernière ne prit pas la peine de lui répondre. Son regard était si brillant qu'il était impossible de douter qu'elle n'en fût pas persuadée. Ils restèrent quelques instants à s'observer comme deux adversaires qui évaluent leurs forces avant le dernier assaut.

Agathe fut la première à contre-attaquer en demandant :

— C'est toujours la même image que tu fais semblant de peindre ?

— Je ne sais pas. Peut-être est-ce la même ! C'est elle qui vient sous mes pinceaux sans que je l'appelle. Je ne les guide pas, ils vont seuls sur la toile. Braque, un peintre célèbre, disait avoir l'impression de dépoussiérer la toile lorsqu'il peignait. Un peu comme si ses pinceaux ne lui avaient servi qu'à enlever le voile sombre qui masquait sa peinture. Un des plus talentueux artistes de mon pays, Michel-Ange, ressentait également la même impression lorsqu'il travaillait. Il disait, à propos des très belles statues qu'il nous a laissées, ne pas les avoir sculptées mais les avoir seulement débarrassées du surplus de pierre qui les emprisonnait. Les statues n'auraient fait que jaillir de la roche, enfin libérées.

Agathe, lassée par ces propos qui n'évoquaient rien à sa jeune mémoire, sauta au bas du tabouret. Elle se reçut en légère flexion, les deux mains en réception sur le sol. Elle se redressa, regarda ses paumes, les frotta l'une contre l'autre, puis les ayant sans doute jugées très sales, les essuya énergiquement sur son derrière dans sa petite robe en coton bleu. Elle partit ensuite, la mine satisfaite, faire en sautillant le tour de l'atelier. Elle paraissait ne plus s'intéresser à Pier, le trouvant très certainement aussi ennuyeux que toutes les grandes personnes. Elle allait d'une toile à une autre, pareille à une jeune abeille qui butine sans compter. Ici elle regardait une ligne, là une couleur moins sombre, ailleurs un horizon.

La peinture de Pier représentait une seule et même image. Ses tableaux, bien que différents les uns des autres, n'étaient qu'une suite de variations sur cet unique thème. Pier, avec obstination, reproduisait toujours le même village, avec ses hautes maisons serrées les unes contre les autres, accrochées sur des rochers abrupts. Sur les façades, les rares fenêtres étaient fermées et les portes irrémédiablement closes. Des escaliers traversaient le village en se glissant entre les maisons. Des murs nus, des galeries et des arches brisées compliquaient l'ensemble de cette architecture austère. Les lignes qui harcelaient de toutes parts le village le faisaient ressembler à un véritable labyrinthe. Les riants petits villages d'Italie qui avaient à l'origine inspiré cette peinture s'étaient transformés au fil des ans en de lugubres cités que la vie aurait désertées. Seule demeurait dans chacun des tableaux une noire silhouette, énigmatique, à moitié dissimulée derrière un pan de mur. Unique forme humaine que Pier n'osa jamais peindre.

Agathe avait terminé son tour d'inspection. Elle se sentait légère et gaie comme à son habitude. Sa petite chanson montait à ses lèvres.

Une petite fille aux doigts blancs
s'amuse comme de coutume
à voler au-dessus du bitume…

Avec insouciance elle avait traversé les sombres visions du peintre. L'impression de tristesse et de désolation ressentie lors de ses premières visites avait disparu. Rien ne semblait plus pouvoir altérer sa joyeuse humeur.

— Il faut que je m'en aille maintenant, c'est l'heure du repas.

— Et ton sandwich alors ? Je croyais que c'était…

— Un petit en-cas ; pour que je patiente. Au revoir et à bientôt, lança Agathe avant de disparaître par la porte entrouverte.

Les jours s'écoulaient au rythme des visites de l'enfant. Pier travaillait beaucoup moins qu'à son habitude. Depuis que la petite fille lui avait révélé la noirceur de ses tableaux, il n'osait plus se servir de ses pinceaux. Il tournait souvent en rond sans raison, s'agitait pour ne rien faire. Ou bien, s'il parvenait enfin à trouver une occupation, c'était pour se livrer à des activités qui ne lui étaient pas coutumières. Ainsi il passa plus de temps chez la boulangère à bavarder. Il devint plus aimable avec le crémier du coin. Il apprit à sourire aux chiens. Pour la première fois, il cultiva son jardin. Il planta des pieds de tomate et des œillets de poète. Un jour même, il entreprit de nettoyer sa palette. C'était une palette de campagne, qu'on pouvait à l'origine replier en deux. Chargée d'une impressionnante épaisseur de peinture ; les couleurs s'étaient accumulées en couches successives, elle était devenue rigide et incroyablement lourde. Sa surface ressemblait au relief d'un paysage lunaire avec ses cratères, ses sillons, et ses creux. Par endroits, la peinture en séchant avait formé des petites vagues, en d'autres, des sortes de stalagmites. A l'aide d'un couteau, il commença son nettoyage. Très rapidement, il dut se rendre à l'évidence : il ne pourrait pas se débarrasser de tout cet amas de peinture, qui était soit trop collant, soit trop dur. Il abandonna donc son idée et fixa, comme on accroche un souvenir du temps passé, la vieille palette contre un mur de l'atelier. Ensuite, il partit chez le menuisier en commander une nouvelle et passa la fin de la journée à chantonner.

Agathe venait le voir tous les jours sans exception. Ses heures de visite étant tout à fait irrégulières, Pier s'interdisait de l'attendre. Pourtant, malgré tous ses efforts, il s'aperçut bien vite qu'il ne pouvait s'empêcher de l'espérer. Alors qu'il avait toujours vécu seul, naufragé volontaire au beau milieu de la ville, voilà que maintenant il réclamait la compagnie d'une petite fille et se sentait malheureux sitôt qu'elle le quittait.

Pier Avellino n'était plus tout à fait le même homme depuis qu'il avait fait la connaissance d'Agathe.

Elle pouvait rester deux minutes aussi bien que deux heures. Son temps n'était pas compté, elle n'avait que les seules contraintes qu'elle voulait bien s'imposer, c'est-à-dire pratiquement aucune. Dès qu'elle avait su exprimer ses pensées, Agathe s'était empressée de dire à ses parents que jamais elle n'irait à l'école. Ses parents s'étaient pliés à sa volonté, en espérant que lorsque serait venu le moment de la scolarité obligatoire, leur fille serait, quant à elle, devenue plus raisonnable. Mais il leur arrivait parfois, à ces malheureux parents, et plus particulièrement les soirs de grand vent, de douter qu'elle le soit jamais.

Le premier couplet de la chanson de la petite fille aux doigts blancs annonçait généralement sa venue. Souvent, après s'être retrouvés, l'homme et l'enfant n'éprouvaient pas le besoin de se parler. Soit Agathe s'asseyait sur le tabouret et ne faisait rien de plus, soit elle jouait sur la marelle que Pier lui avait dessinée sur le sol de l'atelier. Dans le ciel, il avait peint sur des nuages roses des angelots joufflus qui avaient tous le visage rieur de la petite Agathe. Dans l'enfer, il n'avait rien mis. Il arrivait aussi que la petite fille jouât avec les tubes de peinture.

Elle s'amusait à les compter, à les classer par couleur.

— Cinq bleus, deux rouges, trois jaunes... Tu en as des couleurs ! Dans un livre, j'ai vu des peintures, des peintures de grotte avec des animaux.

— Des peintures de la préhistoire ?

— Oui, c'est ça, d'il y a très longtemps.

— Ça t'a plu ?

— Oui, c'était beau et il y avait du rouge. Je suis sûre que celui qui les a faites avait beaucoup moins de tubes de couleur que toi. C'est étrange que toi qui en as tant, tu ne saches pas faire d'aussi belles choses !

Ainsi pouvait débuter une de leurs conversations. Or depuis la scène du sandwich, Agathe ne parlait plus de la peinture de Pier qu'au hasard d'une comparaison. Sa belle curiosité du début de leur rencontre semblait s'être envolée. Pier suivait son exemple et n'en parlait pas non plus. Il préférait lui demander ce qu'elle faisait de ses journées, savoir comment elle s'occupait. Agathe lui répondait et le questionnait à son tour. Elle l'interrogeait sur son pays, qui lui paraissait si lointain. Pier évoquait la Campanie, cette région d'Italie où il avait grandi. Il parlait de son enfance, de ses études de peinture, de ses promenades dans la presqu'île de Sorrente. Parfois il racontait des anecdotes sur la vie de son père. Il expliquait comment cet homme, parce qu'il était un excellent peintre en trompe-l'œil, avait dans sa jeunesse réussi à se faire loger gratuitement, durant plusieurs jours, alors qu'il n'avait pas un sou en poche. Pour cela, il avait suffi qu'il peigne sur son gilet une grosse montre jaune à moitié rentrée dans son gousset. L'aubergiste, en apercevant la brillante breloque, n'avait pas hésité à faire crédit à ce client qui semblait couvert d'or. Pier ne se lassait pas de raconter sa

jeunesse italienne comme autant de souvenirs heureux. Agathe ne s'ennuyait pas en l'écoutant et voulait toujours en savoir davantage. Elle voulait qu'il lui dise comment c'était le Vésuve en colère, si c'était vraiment un volcan si méchant. Et si c'était vrai que les vignes au couchant se teintaient de bleu, et si les oliviers poussaient bien au bord de la mer.

Ils en avaient des choses à se dire et ce n'était pas les sujets de conversation qui manquaient !

Même si Pier ne parlait plus de son travail, il ne pouvait résister au plaisir de raconter des histoires anciennes, des légendes qui toujours parlaient de peinture. Ces histoires, son père les lui avait contées lorsqu'il était enfant, et à son tour, il en faisait le récit à sa jeune compagne.

— Connais-tu l'histoire du peintre qui trompa les oiseaux ?

— Non.

— Il y a très longtemps, un peintre...

— Comment il s'appelle ?

— Comment il s'appelait ? Attends que je me souvienne. Ah oui, je me rappelle, il se nommait Zeuxis.

— Encore un qui a un drôle de nom !

— Zeuxis peignait des paysages que ses amis trouvaient toujours beaux alors que pour lui ils ne l'étaient jamais assez. Il y avait toujours un petit défaut, un petit quelque chose qui les empêchait d'être le reflet exact de la nature qu'il copiait.

— Encore un qui ne devait pas être drôle !

— Tu te moques, mais attends de connaître l'histoire qui lui arriva. Un jour, il peignit une vigne. Une vigne superbe, au feuillage éclatant, chargée de fruits mûrs. Ces raisins étaient si beaux qu'on ne pouvait pas les imaginer autrement que doux et sucrés à souhait. On aurait aimé pouvoir en croquer un ou deux.

— Hum, moi aussi.

— Bien évidemment, Zeuxis était le seul à ne pas en avoir envie.

— Hé !

— Mais comme il voulait être sûr que ses raisins ressemblaient bien à de vrais raisins, il installa la toile dans son jardin au milieu de la nature, là où poussent les raisins. C'était le printemps et le ciel était rempli d'oiseaux migrateurs. Un vol de passereaux survola le jardin et aperçut la vigne que Zeuxis semblait y avoir plantée. Aussitôt les oiseaux affamés piquèrent droit dessus, espérant se gorger de fruits mûrs. Et ce n'est qu'après avoir trompé les oiseaux que Zeuxis fut enfin satisfait de son travail.

— C'est drôle un peintre, ça fait des tours de magie sans le savoir. En tout cas, si c'est vrai, si les raisins étaient aussi gros et bons que tu le dis, qu'est-ce qu'ils ont dû se régaler les oiseaux ! Peut-être qu'ils en auront laissé un peu à Zeuxis pour qu'il les goûte, ses bons raisins.

Et l'histoire de Zeuxis se termina sur un éclat de rire sonore.

Un matin, Agathe arriva de très bonne heure sans que sa chanson l'ait précédée. Pier venait à peine de se lever, aussi lui proposa-t-il de partager son petit déjeuner. Mais Agathe ne cessait de s'agiter. Elle avait une idée derrière la tête, qui l'occupait au point de refuser un bol de lait chaud et des tartines beurrées. Son état d'excitation était tel que jamais elle n'aurait pu rester plus de trente secondes assise à table. Pourtant, lorsqu'elle fit face à la plus grande toile de l'atelier, elle s'immobilisa brusquement comme par enchantement. Le tableau devait bien mesurer plus de deux mètres de haut et quelque cinq mètres de long, si bien que la fillette paraissait encore plus petite que d'habitude.

— Qu'est-ce qu'il y a derrière cette porte ? demanda-t-elle, gourmande de curiosité, en appuyant son doigt sur la peinture à l'endroit même où une porte était représentée.

— Quelle drôle de question ! Je n'en sais fichtre rien !

— Mais c'est quand même toi qui l'as mise là cette porte ! Alors tu devrais bien savoir ce qu'il y a derrière ! s'exclama-t-elle, furieuse que Pier avoue n'en rien savoir. Vous êtes tous pareils !

— Comment ça ? Qu'est-ce que tu veux dire ?

— Vous êtes tous pareils. T'es comme le peintre de l'histoire que tu m'as racontée l'autre jour, tu sais celui des oiseaux.

— Zeuxis ?

— Oui, t'es pareil. Zeuxis n'était pas fichu de savoir si ses raisins étaient des bons raisins avant que les oiseaux ne viennent les manger. Toi, c'est pareil, t'attends qu'on t'ouvre la porte pour savoir ce qu'il y a derrière.

— Tu mélanges tout, Agathe, ce n'était qu'une histoire. Derrière la porte que j'ai dessinée, il n'y a que l'envers du tableau.

Mais Agathe n'était pas décidée à se laisser convaincre aussi facilement et répétait avec obstination, en gardant toujours le doigt pointé sur la porte, qu'elle voulait savoir ce qu'il y avait derrière.

— Pourquoi il n'y aurait rien derrière ta porte alors qu'il y a toujours quelque chose derrière celle des autres ? Ce serait pas juste !

— Qu'est-ce qu'il y a derrière la porte des autres ? questionna Pier, devenu à son tour subitement curieux.

— Il y a des tas de choses. On y trouve tout ce qu'on veut, tout ce dont on a besoin. Tu ne le sais peut-être pas, mais dans les dessins animés de Tex Avery, c'est toujours comme ça. Droopy, tu connais ? Non ! C'est pas possible, tu connais pas ! Droopy, c'est le

chien. Eh bien à chaque fois qu'il est poursuivi par des méchants qui veulent le transformer en hot-dog, il sort vite un crayon de sa poche (Droopy il est toujours tout nu, mais il a quand même des poches !) et il s'empresse de dessiner une porte n'importe où, ça n'a pas d'importance, sur le sol, dans le vide, au plafond. N'importe où j' te dis. Et une fois que la porte est dessinée, il l'ouvre vite, et derrière il trouve un escalier par lequel il s'enfuit. Un escalier qui mène à la cave ou qui conduit au grenier, cela dépend de l'endroit où il a placé sa porte. Droopy, il trouve souvent des escaliers derrière ses portes. Mais c'est pas obligé que ce soit des escaliers, ce peut être autre chose... Pinky, la panthère rose, elle trouve des portes derrière ses portes et puis encore des portes derrière les portes. Parfois ses portes ouvrent sur des murs en brique jaune et elle se cogne le nez dessus, car elle est très distraite. Mais il y a toujours quelque chose derrière leur porte. Toujours.

Cette affirmation faite, elle s'arrêta net de parler. Tout au long de son discours, Pier n'avait pas cessé de la surveiller d'un regard amusé, et il lui sembla qu'elle devenait subitement songeuse.

— C'est parce que tu ne l'as jamais ouverte que tu ne sais pas ce qu'il y a derrière ! reprit-elle tout à coup en poursuivant le cours de ses pensées.

— Oui, sans doute.

— Si on les ouvrait toutes, ainsi que les fenêtres, on découvrirait alors ce qu'elles cachent ! On saurait enfin ce que renferment tes maisons ! Je suis sûre que lui il sait ce qu'il y a derrière ! (Et Agathe désignait avec un semblant de hargne la petite silhouette noire dissimulée dans le tableau.) Pourquoi il aurait le droit de regarder chez nous, alors que nous, nous ne pouvons pas faire la même chose chez lui ? Ça aussi, c'est pas juste !

— C'est peut-être pas juste, mais c'est comme ça ! répondit Pier en souhaitant revenir à de plus raisonnables propos.

Agathe se trémoussait d'un air boudeur devant le tableau, les mains croisées derrière le dos. Comme elle n'acceptait pas qu'il en soit ainsi, elle fit mine d'envoyer un petit coup de pied vengeur dans la porte rebelle.

Pier, ayant surpris son geste de révolte, tenta de l'apaiser par de sages paroles.

— Ne sois pas triste, Agathe, laisse plutôt vagabonder ton imagination, ainsi tu connaîtras ce que cache cette porte qu'on ne peut ouvrir.

— N'empêche que moi, j'aimerais bien l'ouvrir, cette maudite porte, insista l'entêtée.

— Allez, ne fais plus ta mauvaise tête, Agathe, et prends plutôt cette grande tartine que je viens de te préparer. Il faut que tu songes à manger si tu veux grandir !

Elle tourna le dos au tableau et tendit sagement ses mains vers le peintre.

Depuis quelques jours, Pier était assez mécontent de lui. Il se disait qu'il aurait mieux fait de se taire plutôt que d'empêcher Agathe de rêver. Ne savait-il pas que les enfants aiment se raconter des histoires, des histoires à dormir debout ? Et il se sentait vieux et sans fantaisie en imaginant la peine qu'il lui avait sans doute causée. Oh bien sûr, il n'était pas près de croire à toutes ces inventions ! Seulement, il ne pouvait plus regarder ses tableaux de la même façon et s'étonnait de n'y voir que des maisons aux portes et aux fenêtres fermées, comme s'il ne se souvenait plus que c'était lui qui les avait peintes et voulues ainsi ! Et pourtant !... Les villages qu'il peignait et qui lui rappelaient l'Italie n'avaient pas toujours été ainsi. Il y a longtemps, très longtemps, lorsqu'il était jeune et insouciant, il savait les parer de couleurs chaudes et vives. Mais lorsque survint l'année 1944, le noir ne fut plus que la seule couleur du temps. Les cieux se zébrèrent d'acier, le paysage s'embrasa, gonflé de mille cris. Qui grondait de la sorte ? Le Vésuve, peut-être ? Mais le puissant volcan, jadis si redouté, se tenait calme. Rien ne perçait sous son dôme de braise. C'est à peine si, au milieu de la tempête, on parvenait à distinguer les rares fumerolles que sa bouche daignait encore cracher. L'orage tonnait plus au nord, sur le mont Cassin. C'était le bruit des armes, c'était la guerre absurde, la folie des hommes.

C'est après cette triste époque que Pier Avellino n'aima plus jouer avec les couleurs et qu'il quitta son pays pour un autre pays.

Une fin d'après-midi, alors que Pier était occupé dans une pièce du premier étage à classer de vieux papiers, il fut surpris par le bruit violent d'une porte qui claque. Le coup avait été si fort et si inattendu qu'il avait lâché en tressaillant tous les papiers qu'il tenait à la main. Tout en ramassant les feuilles jaunies tombées à terre, il songeait à la force du vent, à l'étonnante soudaineté de ses rafales lorsqu'il se met en colère. Mais en regardant mieux les feuilles de papier dispersées un peu partout sur le sol, il s'étonna de ne pas les voir s'envoler alors que la fenêtre était grande ouverte. Pas un souffle d'air n'agitait la maison. Si le vent n'était pas

responsable de ce fracas, que s'était-il donc passé ? Pourquoi ce bruit au rez-de-chaussée ? Il descendit aussitôt pour chercher la cause de ce remue-ménage.

Au rez-de-chaussée, tout était calme. Dans la cuisine, il ne remarqua rien de particulier, les mouches faisaient bien leur ronde habituelle autour de l'ampoule électrique. En traversant le hall d'entrée il constata que la porte était restée entrouverte et présentait l'entrebâillement exact qu'il lui avait laissé pour inviter Agathe à entrer. Rien n'avait bougé. Ne restait plus que l'atelier à visiter. S'il fut, une fois son seuil franchi, étonné de découvrir Agathe, à genoux, le nez collé sur la grande toile, cette dernière parut encore mille fois plus surprise que lui de le voir apparaître. Elle se redressa vivement. Ses joues étaient écarlates et sa bouche grimaçait un petit sourire gêné. Elle entreprit, comme pour lui faire oublier la curieuse posture où il l'avait trouvée, de prendre des poses d'enfant modèle. Elle tirait nerveusement sur sa robe, se croisait les jambes jusqu'à en perdre l'équilibre en essayant de faire une révérence. Pier, devant son embarras et toutes ses simagrées, eut la certitude qu'Agathe avait fait ou s'apprêtait à faire une bêtise. Il prit pourtant l'air de quelqu'un qui n'a rien remarqué.

— Bonjour, Agathe. Je ne pensais pas te trouver là ! Je suis venu voir s'il n'y avait pas de dégât, si rien ne s'était cassé après le grand bruit qui vient de se produire. Tu l'as entendu, toi aussi, ce bruit ?

— Oui, un peu, répondit-elle négligemment.

Pourtant elle était toujours autant embarrassée, et baissait la tête pour ne pas rencontrer le regard de Pier, tout en continuant de se tortiller désespérément sur ses jambes.

— Qu'est-ce que c'était ?

— Rien.

— Mais enfin, Agathe, pour provoquer un bruit pareil, il a bien fallu qu'il se passe quelque chose !

— Mais c'est rien, c'est juste la porte.

Sans doute pour lui faire remarquer qu'il s'inquiétait inutilement, elle n'hésita pas à mettre plus de désinvolture dans sa réponse. Ce qui ne manqua pas de l'irriter légèrement, puisqu'il reprit sur un ton plus vif et plus pressant, après avoir cependant jeté un rapide coup d'œil du côté de la porte d'entrée :

— Elle est toujours ouverte ! Ce n'est pas elle qui a claqué. D'ailleurs, il n'y a pas de vent !

— Pas la porte d'entrée, l'autre.

— Quelle autre ?

— Ben... La porte du tableau.

Agathe avait donné sa réponse comme si c'était une évidence. Et Pier lançait des regards éperdus dans tous les sens, à croire qu'il ne savait plus où se trouvait le tableau dont elle parlait. Après un bref instant d'affolement, il reprit :

— La porte du tableau ! Mais tu sais bien qu'elle ne peut pas faire le bruit d'une vraie porte qui claque, pour la bonne raison qu'on ne peut pas l'ouvrir !

— C'est pas vrai qu'on peut pas l'ouvrir. Moi, j'y suis arrivée. Mais je l'ai refermée aussitôt après l'avoir ouverte, très vite et très fort. (Agathe marqua un petit temps d'arrêt avant de poursuivre.) J'ai eu peur. Je ne m'attendais pas à ce qu'elle s'ouvre aussi facilement.

— Enfin, Agathe ! Je veux bien croire que tu as imaginé tout ce que tu me racontes. Que tu as cru ouvrir la porte. Mais le bruit que j'ai entendu, ce n'est pas toi qui l'as provoqué. Car dans la réalité, cette porte ne s'ouvre pas, ne grince pas, ne se coince pas, ne claque pas. Cette porte est une peinture. Tiens, regarde si je ne dis pas la vérité. (Et Pier, qui s'était rapproché d'Agathe et du tableau, appuya sa main contre celui-ci pour donner une légère pression sur la toile.) Tu vois, la toile s'enfonce légèrement, mais cela ne veut pas dire que c'est la porte qui bouge. Cette porte n'est qu'une image.

— N'empêche que moi je l'ai ouverte, répondit Agathe en faisant preuve, une nouvelle fois encore, d'un bel entêtement.

Elle était tellement convaincue de ce qu'elle venait de dire que Pier ne pouvait s'empêcher de l'admirer, autant pour son obstination que pour sa conviction. Il savait par avance qu'il ne pourrait la convaincre du contraire. Et à quoi bon vouloir le faire ! La petite fille s'inventait de si jolis rêves qu'il eût été dommage de les lui enlever. Le simple dessin d'une porte fermée lui donnait les mêmes illusions qu'un effet compliqué en trompe-l'œil. Et parce qu'il était peintre, Pier pouvait comprendre le petit monde merveilleux d'Agathe, où le réel et l'imaginaire étaient si étroitement mêlés.

— Allons, ne fais plus cette triste figure, et cesse donc de tirer sur ta robe, je ne vais pas te gronder. Au contraire ! Je trouve que tu as bien de la chance de savoir ouvrir cette porte quand les autres ne le peuvent pas, déclara-t-il avec une joie sincère.

Elle se serait bien sentie rassurée par ces paroles et aurait bien cessé de torturer le tissu de sa robe, si Pier n'avait pas lancé tout aussitôt un horrible cri d'épouvante.

— Qu'est-ce qu'il y a ? demanda-t-elle en serrant davantage les plis de son habit dans ses mains.

— Là, là ! Regarde sous la porte. Regarde cette ombre.

Pier, les yeux fous, désignait le tableau. Agathe regardait sans comprendre.

— Cette ombre, elle n'y était pas. Je ne l'ai jamais peinte. Ce n'est pas moi qui l'ai mise là. Il n'y avait pas une ombre semblable sous la porte. Cette ombre, c'est comme si

une faible lumière perçait de derrière le tableau. Je n'ai jamais voulu peindre cela. Agathe, n'as-tu pas touché au tableau ?

Une sorte d'angoisse s'était emparée du peintre. Ses mains, avec frénésie, s'agitaient sur la toile à la recherche de ce qu'elles avaient tracé. Tout l'espace qui entourait la porte ne ressemblait plus à ce qu'il avait peint. Ses coups de pinceau avaient disparu pour laisser la place à une peinture qui n'était pas la sienne. La petite fille avoua calmement avoir en effet touché à la toile.

— Tu t'es servie des pinceaux. Tu as repeint le dessous de la porte.

— Mais non, s'écria-t-elle, j'ai tout simplement ouvert la porte. Je te l'ai déjà dit et puis tu m'embêtes avec tes questions idiotes. Tu dis que tu ne vas pas me gronder et maintenant tu le fais ! J'ai pas touché à la peinture. C'est pas moi, c'est pas moi.

Agathe était maintenant tout à fait fâchée. Affreusement en colère contre le peintre qui l'accusait injustement. Elle s'en alla bouder dans un coin de l'atelier. Pier, toujours affolé, regardait son tableau qu'il ne reconnaissait plus, puis Agathe dont il découvrait le sacré caractère. Il ne savait plus où donner de la tête. Du tableau à Agathe et d'Agathe au tableau. Il n'était plus le même, mais il paraissait impossible qu'une petite enfant de cinq ans ait pu réussir à le changer de la sorte.

Ce semblant de clarté qui filtrait sous la porte était trop réussi, trop précis, bien trop vrai. Pier alla demander pardon à l'enfant pour son injustice, pour son emportement et pour sa folle frayeur. Réconciliés, apaisés, ils revinrent vers le tableau. Très doucement, il demanda :

— Agathe, qu'est-ce qu'il y a derrière la porte ?

A ces mots, Agathe se tourna vers Pier, et Pier vers Agathe, ils échangèrent un sourire complice.

— Chut, je ne le sais pas encore, t'es arrivé trop tôt tout à l'heure.

Elle s'agenouilla alors devant le tableau, Pier en fit autant. Les yeux collés sur la toile, ils regardèrent sous la porte.

— On n'y voit pas très bien, dit Pier en se relevant tout en se frottant les paupières, mais alors quel fichu courant d'air !

— Ce serait plus simple d'entrer, lança Agathe d'un ton résolu, et la porte s'ouvrit comme par enchantement.

— Viens, on va visiter ta peinture.

La petite fille prit la main du peintre et ils entrèrent dans le tableau.

Un rire perle dans l'obscurité. Deux mains se serrent.

— Pourquoi tu ris ? demande Pier.

— Pourquoi tu chuchotes ? répond Agathe.

Depuis qu'ils sont entrés dans le tableau, ils n'ont pas fait dix pas. Instinctivement, après avoir franchi la porte, ils se sont tous les deux arrêtés dans le noir. Leurs mains se tiennent serrées, elles sont devenues inséparables. Mais soudain Agathe bouge, Pier ne voit pas ce qu'elle fait, elle s'agite au bout de son bras sans vouloir le lâcher. La porte claque. Les voici enfermés.

— Qu'est-ce que tu as fait ? demande Pier, inquiet.

— J'ai refermé la porte. J'avais froid et je n'aime pas les courants d'air.

— Maintenant, on n'y voit plus rien de rien, de l'atelier nous venait un peu de lumière.

— Si peu, dit Agathe, qu'elle ne nous servait à rien.

— Mais comment ferons-nous pour ressortir du tableau ?

— Nous rouvrirons la porte, répond avec justesse Agathe.

Autant Pier est inquiet et nerveux, autant Agathe est calme et sereine. Rien de ce qui lui arrive ne la trouble, tout lui semble naturel.

— Nous devrions aller plus loin, propose-t-elle. Ici il fait froid. Et puis il y a de l'humidité et du noir partout. C'est plus triste qu'à l'extérieur.

— Attends un peu qu'on s'habitue à l'obscurité. Pour l'instant, je ne saurais te guider. Il suffit de patienter quelques minutes. Ne trouves-tu pas d'ailleurs qu'on y voit déjà mieux ? Il me semble apercevoir de la lumière là-bas.

Progressivement, Pier et Agathe voient des formes se dessiner, des contours apparaître. L'obscurité se fait plus légère, moins dense. Au loin, très loin, il y a de la lumière, comme au bout d'un tunnel. Agathe regarde les deux longs murs qui l'entourent, elle les voit maintenant assez distinctement pour s'écrier :

— On dirait un couloir. Nous sommes dans le couloir de la maison que tu as dessinée. Dans le couloir. Couloir, couloir, couloir. (Agathe découvre qu'il y a aussi un écho dans la maison.) Echo, écho, écho, lance-t-elle à tue-tête.

Et l'écho répond son nom puis se perd dans le couloir.

— Tu ne devrais pas crier ainsi, lui dit Pier.

— T'as peur que je réveille quelqu'un, s'exclame-t-elle en riant. Dans un tableau, on peut tout faire.

A peine entraîné dans cette aventure, Pier ne sait plus dire que des bêtises, ne sachant plus ce qui est vrai ni ce qui est faux. Ce qu'il faut faire ou ne pas faire. S'il y a du danger ou simplement du merveilleux. Il s'en veut d'être constamment sur ses gardes, sceptique comme un vieux monsieur qui ne sait plus rêver.

— Dans un tableau on peut tout faire ! Eh bien, puisqu'il en est ainsi, partons le visiter ! Allons découvrir ce que cache cette maison.

La main dans la main, les deux visiteurs s'avancent lentement dans le couloir. Plus ils se rapprochent de la lumière, plus Agathe a l'impression d'avoir moins froid. Les murs sont encore sombres. Le couloir est long, si long qu'il pourrait être sans fin, mais sa traversée n'est pas effrayante. C'est un passage dans le silence, une transition entre l'obscurité et la lumière. Ils vont.

Chemin faisant, Agathe trotte de plus en plus vite. Pier la sent impatiente d'arriver. Pour s'encourager dans sa marche, elle balance leurs mains au rythme de ses pas. « Bientôt elle va courir ! » pense Pier. Il allonge ses enjambées pour ne pas être dépassé par la vitesse de l'enfant. Agathe fait deux pas quand Pier n'en fait qu'un seul, mais ça ne fait rien, ils marchent ensemble et tout aussi rapidement l'un que l'autre.

Voilà maintenant bientôt cinq minutes qu'ils parcourent le couloir sans qu'ils soient encore parvenus à son extrémité.

— Je ne me doutais pas que la maison était si grande, dit Agathe.

— Moi non plus. Et dire que nous n'en connaissons que le couloir ! Tu n'as pas l'impression que son extrémité recule à mesure que nous avançons ?

— Oui, on dirait qu'il ne veut pas qu'on vienne jusqu'à lui.

— Il faut en être sûr, lance Pier en s'arrêtant.

Alors Agathe s'arrête aussi. Et lorsque Pier se retourne pour regarder en arrière, il l'entraîne dans son mouvement. Leurs deux mains ne se sont pas lâchées. Il veut mesurer du regard la distance qu'ils viennent de parcourir. L'obscurité s'est refermée sur eux. Le peintre ne peut plus rien distinguer. Même la porte s'est noyée dans le noir.

— Le fond du couloir recule, j'en suis sûr. Nous marchons depuis longtemps, et nous devrions l'avoir atteint !

— Qu'est-ce qu'on fait ? questionne l'enfant en cachant mal sa déception.

Pier réfléchit un court instant. Il faut qu'il se décide vite. Il ne doit pas se laisser gagner par la peur ni impressionner par l'étrangeté du décor.

— Nous allons continuer encore un peu, si tu veux bien. Cette maison ne pourra pas toujours fuir devant nous. Sinon ce n'était vraiment pas la peine qu'elle nous ouvre sa porte. Tu ne crois pas ? Allez viens, tu vas voir, peut-être deviendra-t-elle plus accueillante.

Ils reprennent leur marche. La clarté luit toujours dans le fond du couloir qui s'obstine à demeurer inaccessible. Mais eux aussi s'obstinent. Ils marchent d'un bon train. Le sol défile sous leurs pieds à vive allure. Et bientôt leur persévérance est enfin récompensée. Sans que rien dans le décor l'ait laissé supposer, les murs viennent brusquement de s'interrompre pour laisser place à deux escaliers. Le couloir les tenait cachés de chaque côté, chacun dans un renfoncement, alors qu'au-delà, il se prolonge comme si de rien n'était vers la lumière. Les visiteurs s'arrêtent à la hauteur de leur découverte. Agathe regarde l'escalier de droite, Pier celui de gauche. Ce sont exactement les mêmes. Même largeur, même rampe en fer forgé, mêmes dimensions. Un éclairage identique complète cette étonnante ressemblance. Il est très vif et diffuse une lumière blanche qui, curieusement, s'arrête au pied de leurs dernières marches. Elle ne se réfléchit pas plus loin, elle se contente seulement de briller dans les escaliers. En une enjambée, Pier s'engage sur l'un d'eux. Il lève la tête pour savoir d'où provient cette étrange lumière et aperçoit, tout en haut, dans le plafond, une verrière. Derrière, le soleil brille. Mais ses rayons en la traversant perdent de leur éclat. Ils demeurent lumineux mais dépourvus de leur chaude couleur.

— Ailleurs que dans les peintures, je n'ai jamais vu de pareille lumière ! s'exclame le peintre en connaisseur. C'est une lumière qui est vraie et fausse tout à la fois ! C'est étonnant, non !

Pier est absolument ravi de cette découverte, alors que la fillette l'écoute sagement, sans comprendre pourquoi si brusquement il

s'agite autant. Elle le regarde, avec indifférence, tendre sa main à plat dans le vide à l'extérieur du cercle lumineux, puis l'avancer doucement dans le halo. Il s'amuse à suivre sur sa peau les zones d'ombres qui disparaissent au fur et à mesure de sa percée dans la lumière. Il reprend, la main toujours suspendue dans le vide :

— Entre le couloir sombre et l'escalier ensoleillé, c'est comme entre le jour et la nuit, l'ombre et la lumière. C'est un contraste franc, une coupure nette. C'est ce que tu vois là, à la limite de cette marche. Et c'est pourquoi cette lumière est vraie. Entre sa clarté et la noirceur du couloir, il n'y a qu'un trait pour les séparer, qu'une simple ligne où j'ai posé ma main. Tu comprends ?

— Hum, souffle Agathe en faisant la moue.

— Alors que le soleil nous indique toujours, avec l'aurore et le couchant, l'endroit où il se cache, cette lumière-ci ne nous a pas avertis de sa présence. Et voilà pourquoi elle est fausse. Elle n'a pas d'éclat et nous n'avons pas su la deviner alors que nous traversions le couloir. Tu sais, Agathe, il n'y a que dans les peintures que la lumière est vraiment ainsi !

— Je n' sais rien de toutes ces histoires de vrai et pas vrai. Je sais qu'on est dans ton tableau. Seulement, faut pas l'oublier. Un jour, un monsieur a fait un grand dessin à la craie sur le trottoir. Il y avait un soleil jaune et une lune avec une grande bouche. Et puis, il est parti avec ses craies et ses pièces de monnaie, j'ai tout vu. Après, les gens ils sont passés sur le dessin et l'ont effacé. Et jamais ils ont su qu'ils marchaient dans le ciel, ils avaient oublié.

Emporté par la curiosité, le peintre ne s'est, jusqu'à cet instant, pas inquiété de ce qui lui arrivait. La petite histoire de l'enfant vient précisément de lui rappeler l'endroit où il se trouve. Il entame à haute voix une conversation qu'il se destine à lui seul :

— C'est pourtant vrai ! J'ai bien failli oublier que je suis *dans* ma peinture. Je n'arrive pas à croire qu'une pareille aventure puisse être possible. Je dois rêver, oui, c'est ça, je rêve.

— Hé, tu parles tout seul, maintenant ! crie une petite voix impatiente. Tu ressembles à mon mainate qui répète toujours les mêmes choses.

Et elle éclate de rire.

Pier est vexé, il n'aime pas beaucoup qu'on se moque de lui.

— Alors, on y va dans les escaliers !

Pier est bien obligé de reconnaître qu'elle a raison. Il faut avancer. S'il trouvait que cette aventure n'était pas de son âge, il n'avait qu'à rester dans son atelier à ronchonner en compagnie de ses pinceaux.

— Lequel prenons-nous ? se décide-t-il enfin à proposer.

— Le mien, répond l'enfant.

Péniblement, l'ascension de l'escalier de droite commence. Les marches sont trop hautes pour les petites jambes d'Agathe. Il lui faut à chaque instant s'accrocher à la rampe et tirer sur son bras pour se hisser. Pier l'aide un peu en la tirant de son côté.

— C'est encore haut ? s'inquiète-t-elle.

Son compagnon ne cesse de lever les yeux vers la verrière. Il essaie, tout en continuant de monter, de compter les volutes en fer forgé qu'il voit au-dessus de sa tête. Une, deux, trois, quatre. Non cinq. Il leur reste encore cinq fois à s'enrouler autour de la cage d'escalier. Mais peut-être ne seront-ils pas obligés d'aller jusqu'au bout. Ils trouveront avant un palier. A moins que l'escalier soit lui aussi sans fin…

— Non, ce n'est plus très haut, répond Pier pour encourager l'enfant.

Agathe se tourne vers lui et lui dit avec un bon sourire :

— T'es pas comme Droopy, toi. Tu ne te contentes pas d'avoir un escalier, il t'en faut deux. Et en plus, tu as un couloir. Et qu'est-ce qu'il était long ton couloir ! Et cet escalier alors, qu'est-ce qu'il est haut ! Tu savais que tu avais mis tout ça derrière la porte ?

— Non.

— Tu n'es jamais venu ici ?

— Non, jamais.

Agathe a remplacé son beau sourire par une grimace. Le soupçon trotte dans sa tête. Les réponses du peintre ne lui paraissent pas croyables. Elle poursuit :

— T'es pas impatient de découvrir ton tableau ?

Pier ne dit rien.

— Sans moi, tu serais entré par la petite porte ?

Pier ne répond toujours pas, et Agathe lui fait de plus en plus la grimace.

— Pourquoi t'es pas curieux ? dit-elle de plus en plus exaspérée qu'il ne parle pas.

Mais le malheureux peintre se sent affreusement mal à l'aise. Car, sous ce flot de questions, se cachent des reproches. Les reproches d'Agathe pour son manque d'enthousiasme, son absence d'impatience à découvrir ce qui lui appartient. Pier sait bien qu'il faudra qu'il se décide à parler. Tant qu'il n'aura pas dit un mot, Agathe ne le laissera pas en paix. Il la connaît maintenant, il sait combien elle peut être têtue et obstinée. Elle le harcélera sans répit jusqu'à ce qu'elle sache. Et il avoue simplement, autant pour lui céder que pour se libérer de ce qui lui pèse sur le cœur :

— C'est parce que j'ai peur.

Un petit air étonné a succédé à la grimace.

— Il ne faut pas avoir peur. Je suis avec toi, alors tu n'as aucune raison d'avoir peur.

Pier sourit. Car enfin, que peut-on redouter quand une petite fille, décidée à vous faire franchir tous les obstacles, est prête à vous guider sur un chemin inconnu ?

— Tu as raison, Agathe, je ne lâche pas ta main et je te suis.

Mais Agathe monte de plus en plus difficilement l'escalier. Ses joues sont rouges et sa respiration est courte. Pier propose de s'arrêter un instant pour se reposer. Elle refuse aussitôt.

— On est là pour visiter, pas pour traînailler !

Et puisque Agathe a décidé qu'il fallait continuer, ils continuent. Pier la prend dans ses bras. Elle passe une main derrière son cou, l'enlace et s'installe comme un petit animal câlin en quête de protection, accrochée à son côté. Tandis que l'ascension se poursuit, elle s'amuse avec les cheveux blancs du peintre qu'elle enroule en de longues mèches soyeuses autour de ses doigts. Soudain elle demande :

— Dis, est-ce que tu es comme moi ? Tu caches les choses que tu aimes ? Tu sais, les belles billes, les beaux rubans...

— Oui, sans doute.

Ils montent toujours. Une volute en fer

forgé, deux volutes, trois, quatre. La cinquième tient ses promesses, ils sont arrivés en haut de l'escalier, sur un étroit palier fermé par une haute porte de bois à deux vantaux.

— Tu crois qu'il faut sonner ? demande Agathe alors que Pier la dépose délicatement à terre.

— Non, il suffit d'entrer.

En un accord parfait, ils tirent chacun sur un des côtés de la porte. Et alors qu'ils croient ouvrir un passage dans la maison, découvrir une pièce, une salle, une chambre, qui sait, pleine de secrets, confuse des mystères et des murmures du temps passé, ils s'étonnent de se retrouver à l'air libre, face à un étroit chemin bordé de petits murs de pierre. Semblable à un chemin de ronde, perché sur la crête d'une muraille, il sillonne à travers un village, à la hauteur des toits des maisons.

— T'as pas l'impression que la maison nous a mis dehors ? s'exclame Pier en se retournant sur la porte.

Il met les poings sur ses hanches et affirme en riant qu'elle ne manque pas de toupet.

Les rayons de soleil aperçus à travers la verrière de l'escalier ont disparu, laissant la place aux couleurs de la nuit. D'un horizon lumineux s'étire un ciel pommelé, qui s'en va grisaillant peser au-dessus de leurs têtes.

Pareils à des marins qui se tiendraient en haut d'un phare, l'homme et l'enfant scrutent désespérément l'horizon à la recherche d'un signe.

— C'est par là qu'il faut aller, dit soudainement Agathe en se souvenant de la leçon de Pier et en indiquant le couchant. C'est là que se cachent les couleurs. Il faut suivre la lumière.

— Mais pourquoi aller par là ? Tu es comme les pies, attiré par tout ce qui brille.

— Les pies ?

— Tu connais ?

— Non.

Ils s'engagent pourtant sur le chemin.

La muraille, bordée de chaque côté par des à-pic impressionnants, zigzague entre les maisons. Elle encercle le village comme dans des fortifications. De ses flancs parfois s'échappent des arches de pierre ou bien des escaliers étroits qui se jettent dans le vide pour rejoindre des toits en terrasse ou pour disparaître sous des voûtes, dans le ventre des maisons. Pier a l'impression de reconnaître ce village. C'est bien celui qu'il peint depuis des années, avec sa multitude de lignes qui se croisent, s'entrecroisent et se brisent pour ne laisser que peu de place au paysage. C'est à peine si, au loin, vers l'horizon, il aperçoit un morceau de terre nue, ocre et miel.

Agathe se tient bien serrée contre lui, émerveillée de se retrouver sur les cimes de son village. Les maisons paraissent minuscules vues de si haut ! Il lui semble qu'il suffirait de soulever leur toit pour connaître tous leurs secrets. Mais elle prend bien garde de ne pas s'approcher trop près des parapets. Le vide est tellement fascinant ! Tout en bas, les rues du village sont noyées d'ombre.

— J'ai déjà vu des maisons comme ça.

— Ah bon ! Où ça ?

— Du château où habite ma mamie. Les maisons sont pareilles, elles sont toutes petites, mais là-bas, il y a du soleil.

— Elle habite un château, ta mamie ?

— Non, pas dans un château, en Provence.

— Et le château alors ?

— C'est le château du village. Et tu sais ce qu'il y a dedans ?

— Non.

— De la peinture. Même que c'est pas un château, c'est un musée. Moi je ne le savais pas, mais j'y suis allée. Y'a plein de couleurs. Que des couleurs. Des couleurs qui bougent. Mais c'est pas en vrai, c'est fait exprès quand on regarde.

— Je crois savoir de quoi tu parles. Ce sont des tableaux de Vasarely que tu as dû voir.

Agathe gonfle ses joues et lance un petit « pout » pour indiquer qu'elle ignore qui est ce monsieur.

— Mais si, ce doit être ça. C'est un peintre moderne, et en Provence, beaucoup de musées exposent sa peinture.

— Ah ! tu vois que tu connais, moi, je ne savais pas qu'il y avait tout ça dans le château. Quand même, tu sais où le peintre de mamie met ses couleurs et tu ne te rappelles plus où sont les tiennes !

Il y a plus d'étonnement que de reproche dans la voix de l'enfant, car elle n'oublie pas qu'il lui arrive aussi d'égarer des choses auxquelles elle tient. Elle poursuit :

— Faut se dépêcher si on veut les trouver avant la nuit.

— Ne crains rien, nous arriverons avant elle. Ce soir, la nuit est immobile.

— Et pourquoi ? demande-t-elle étonnée par la belle assurance du peintre.

— Ne sommes-nous pas dans un tableau ? Et c'est toi maintenant qui l'oublies. Ici, tout est immobile. N'as-tu pas remarqué que nous ne laissions pas nos ombres traîner derrière nous ? Même dans l'escalier où il y avait pourtant une lumière si violente, nous n'avons pas renvoyé l'ombre de nos silhouettes sur les murs.

Agathe se retourne aussitôt, pour s'assurer qu'elle n'oublie rien derrière elle.

— C'est vrai, nous n'avons laissé que l'escalier éclairé, dit-elle parfaitement convaincue.

Le sentier amorce maintenant une légère courbe. Sur leur chemin, ils croisent des bifurcations qui vont vers des esplanades et des jardins suspendus couverts d'ombre et de végétation. Mais rien ne les distrait, ne les détourne de leur route. Ils préfèrent poursuivre la voie qui mène droit vers l'horizon. Les toits des maisons, en contrebas, les accompagnent.

— Je ne savais pas qu'il existait un passage sur les murs que je peignais, s'étonne le peintre.

Comme un simple promeneur, Pier se promène dans sa peinture. Mais dans sa tête, ses pensées font un chahut terrible. Elles se heurtent, s'affrontent et se bousculent. Partagée entre le rêve et la réalité, sa raison vacille et ne veut pas s'engager. Doit-il croire ou ne pas croire que son tableau ait pu se transformer en une autre dimension ? Qu'il se soit fait profond, gonflé de formes et de reliefs, pour se prêter au jeu d'une petite enfant qui voulait le parcourir de l'intérieur ? Qu'il se soit ainsi ouvert et livré à son caprice ?

Agathe, tout à sa soif de découverte, ne se laisse pas troubler par de pareilles questions. Elle va de son pas d'impatiente, les yeux rivés sur la ligne d'horizon. Si bien qu'elle ne voit pas que le chemin vient de se séparer en deux. Pier aimerait s'engager sur celui qui s'éloigne de la bonne direction. Il conduit, en effet, à l'extérieur du village vers une sorte de promontoire enchâssé sur un nid de rochers. C'est un cul-de-sac qui surplombe un paysage sombre et plat. Sur la crête du mur, se dessinent des galeries percées d'arches en plein cintre.

— Pourquoi veux-tu changer de chemin ? s'inquiète l'enfant, en devinant les intentions du peintre. Ce n'est pas la bonne route, elle ne mène nulle part.

— Regarde là-bas, regarde, crie Pier en montrant le promontoire. C'est par là qu'il me faut aller, c'est là qu'il se cache.

Sous la galerie, il vient d'apercevoir la silhouette noire. La fameuse forme humaine, la seule qu'il peigne dans ses tableaux. Les aurait-elle aperçus elle aussi ? Car la voilà qui bouge tout d'un coup, qui se glisse sous les voûtes de pilier en pilier. Pier et Agathe la regardent s'éloigner en se faufilant entre les pierres comme le ferait un voleur.

— Attends-moi ici. Je ne veux pas qu'elle

se sauve. Je veux connaître celui qui se cache dans mes tableaux.

Comme la silhouette est de plus en plus loin et risque de finir par disparaître, Pier, n'y tenant plus, s'engage sur le chemin pour essayer de la rejoindre. Alors qu'il court déjà sur le petit sentier du promontoire, il crie à l'attention de l'enfant :

— Surtout ne bouge pas, attends-moi. Je reviens tout de suite.

Agathe, même si elle le voulait, ne pourrait le rattraper. Pier est déjà bien trop loin. La petite fille s'étonne d'ailleurs que pour un homme aux cheveux blancs, il aille aussi vite.

Pier court de plus en plus rapidement. Il sait que le fugitif ne pourra pas lui échapper ; et cette idée lui donne des ailes. Au-delà du promontoire, il n'y a qu'un grand vide. Il vient d'atteindre les premières galeries. Il s'engage sous les voûtes, toujours en courant. A quelques dizaines de mètres devant lui, il voit la silhouette noire s'enfuir encore. Mais elle ne pourra plus aller très loin, bientôt le vide...

— Ne partez pas ! Ne fuyez pas ! Je ne

vous veux aucun mal. Je veux seulement vous parler. N'ayez pas peur.

Il ne reste plus que quelques mètres avant qu'il n'atteigne le fond de la galerie, qu'il n'arrive au bord du vide. La silhouette noire s'est déjà immobilisée face au précipice. Un instant, Pier redoute qu'elle ne saute pour mieux lui échapper. Il s'arrête quelques pas derrière elle, il ne veut pas l'effrayer. Il continue de lui parler :

— Je vous en prie, n'ayez pas peur. Je veux seulement vous parler. Il y a si longtemps que vous êtes dans mes tableaux que je voudrais savoir qui vous êtes.

Comme l'inconnu ne cherche plus à s'enfuir et persiste à contempler le vide, Pier ose faire les derniers pas qui les séparent encore. Il aimerait lui faire comprendre qu'il peut avoir confiance en lui. Et s'il tentait de toucher son épaule amicalement ? Mais avant même qu'il ait eu le temps de tendre la main, l'homme s'est retourné vers lui. C'est un tout jeune homme qui le regarde avec de grands yeux tristes et sombres. En découvrant son visage, Pier est saisi de stupéfaction. Il aimerait pouvoir parler, mais aucun mot ne franchit ses lèvres ; il vient de retrouver le jeune homme qu'il était avant de quitter son pays. Alors, il tend la main à sa rencontre et l'image du jeune homme s'évanouit au moment même où il va la rejoindre.

Pier reste seul devant le précipice, pensif.

Il croyait poursuivre un inconnu alors qu'il ne courait qu'après sa jeunesse. Et voilà donc où il l'avait cachée ! Il l'avait tue, bâillonnée, enfermée dans ses tableaux. Il l'avait abandonnée à la peinture, murée derrière de noires couleurs. Grâce à une petite fille, il l'avait enfin retrouvée. Mais la petite fille, où était-elle maintenant ?

Pier regarde autour de lui, il se rappelle l'avoir laissée à la croisée des chemins. Vite, il repart en sens inverse, il se hâte, court encore et s'accuse de ne pas avoir été raisonnable en la quittant aussi précipitamment. Lorsqu'il arrive à l'embranchement du chemin, Agathe n'est plus là. Il part sur la voie de l'horizon. Peut-être a-t-elle continué seule, impatiente d'arriver. Mais le chemin est désert. Il retourne sur ses pas, vite, vite. Il ne la voit toujours pas, Agathe reste introuvable. Pier est désespéré. Il a perdu son Agathe, sa merveilleuse petite fille, son fidèle petit guide. Il s'accroupit contre le parapet et plonge la tête dans ses mains pour cacher ses larmes.

Une petite fille aux doigts blancs
s'amuse comme de coutume
à voler au-dessus du bitume…

— Agathe, Agathe, crie Pier aussitôt en entendant la chanson. Agathe où es-tu ?

— Hou ! hou ! lance la petite voix d'Agathe qui monte de dessous la muraille, je suis là.

Pier se penche par-dessus le parapet. Dessous, bien plus bas, il voit l'enfant installée à la fenêtre d'une maison et qui agite sa main pour lui faire de grands bonjours.

— Qu'est-ce que tu fais là-bas ? claironne le peintre une fois qu'il a porté les mains à sa bouche comme un porte-voix.

— Je visite. J'ai trouvé une jolie maison. Tu viens ?

— Par où es-tu passée ?

— Plus loin, sur le chemin de l'horizon, il y a un escalier.

— J'arrive. Continue de chanter, ta voix me guidera dans ce labyrinthe.

Pier part sur le chemin de l'horizon. Quelques mètres plus loin de l'endroit où ils s'étaient arrêtés la première fois, il trouve effectivement un escalier qui redescend dans le village.

Un monsieur tout de noir
Ohé, ohé,
vient de passer.

Pier dévale l'escalier.

La petite fille aux doigts blancs
frôle le chapeau noir
du monsieur tout de noir.

Il arrive sur un palier. L'escalier se divise en trois sections, qui se croisent et se superposent et côtoient les maisons à la hauteur des derniers étages.

La petite fille aux doigts blancs
a laissé une éraflure blanche
sur le chapeau noir.

Entre deux balustres, il aperçoit Agathe qui chante à tue-tête sa chanson. Il s'engouffre dans l'escalier le plus pentu.

La petite fille aux doigts blancs
a saigné à blanc
le monsieur tout de noir.

Dans sa course folle, Pier croise un pont suspendu qui rejoint une maison. Mais il ne s'y engage pas, Agathe est bien plus loin, dans une autre. Sa voix le guide toujours. Il faut dire qu'Agathe chante à cœur joie.

Un monsieur tout de noir
Ohé, ohé
vient de trépasser.

Il court toujours dans ce dédale d'escaliers, de ponts et de murs. La chanson d'Agathe est comme un fil qui ne doit pas se rompre.

Après avoir survolé une dernière fois
la masse sombre et pâle tout à la fois
une petite fille aux doigts blancs
s'envole au-dessus des couleurs
vers son nid de pois de senteur
quelque part au milieu du vent.

Comme la chanson se termine, Pier retrouve Agathe.

— Regarde comme c'est beau ici !

Agathe tourbillonne de joie dans la maison, frôle les murs et leurs douces couleurs.

— Comme c'est beau ! Comme c'est bien ! (et elle l'entraîne à travers la maison pour lui faire partager son allégresse. Ils vont de pièce en pièce). Ici, y'a de la lumière partout. C'est comme le château de ma mamie, de dehors on ne sait pas que c'est si beau dedans. J'ai ouvert toutes les fenêtres pour que la lumière parte dans les rues.

Se croyant encore sous le charme d'un chant mélodieux, Pier se dirige vers une porte close.

— On dirait qu'une berceuse s'échappe de cette pièce, dit-il en hésitant un instant avant d'entrer.

Il se retrouve à l'intérieur d'une petite chambre bleue. Dans un angle, il y a un petit lit, sur l'oreiller des initiales sont brodées.

— C'est à qui ici ? demande Agathe.

— A un petit garçon, répond Pier tout en regardant le A et le P entrelacés, brodés sur la taie d'oreiller.

Et Pier se souvient que lorsqu'il était enfant, il s'endormait sur un oreiller qui portait ses initiales. Du plus profond de sa mémoire ses souvenirs d'enfance lui reviennent. C'est un oreiller plein de plumes moelleuses, c'est une berceuse que sa mère lui chantait, c'est un bleu pastel sur le mur d'une chambre...

Un peu plus loin, dans une autre pièce où Agathe le conduit, il retrouve, accroché à une patère, un gilet d'homme qui porte une montre peinte à moitié rentrée dans le gousset.

Agathe va, court, glane tous les souvenirs du vieil artiste. Elle croit avoir tout parcouru, tout visité, tout découvert.

— Es-tu bien sûre d'avoir tout vu ?

— Je crois bien.

— Il te reste encore deux choses à voir, mais c'est moi maintenant qui vais te guider.

Pier la prend par la main pour la conduire. Ils sortent de la maison. Il fait maintenant clair comme en plein jour. Agathe a bien fait d'ouvrir toutes les fenêtres.

Pier emmène Agathe vers une autre maison. Il reconnaît parfaitement la route. Ses souvenirs sont demeurés intacts.

La maison n'est pas une vraie maison. C'est une immense pièce et ses murs qui montent sans interruption jusqu'au toit sont peints de toutes les couleurs. Ce sont des rouges, des orangés, des jaunes, des verts, des bleus, des violets, des bruns qui s'enchaînent les uns à la suite des autres, en longues bandes verticales comme des lés de papier peint. Chaque couleur passe par mille nuances avant de laisser la place à la couleur suivante. Agathe fait le tour de la pièce, saute de joie, bondit sur les murs multicolores. Elle les touche pour mieux se persuader que toutes les couleurs sont bien là, qu'aucune ne manque, conservées dans cette grande maison qui ressemble à une gigantesque boîte de couleur.

Pier l'attend sur le pas de la porte, en souriant.

— Qu'est-ce que c'est ? demande l'enfant au peintre en lui tendant ses mains tachées de toutes les couleurs.

— Mais de la peinture, bien sûr !

Ils repartent sous le soleil. A l'extérieur, il n'y a plus de rues sombres, de murs hauts, de maisons aveugles. Il ne reste plus qu'un grand jardin. Une allée conduit vers une vigne qui grimpe contre un petit mur d'appentis. Sous ses feuilles, des oiseaux se tiennent cachés. Comme ils s'approchent de la vigne, ces derniers s'envolent à grand bruit. Pier et Agathe s'arrêtent et ne font plus aucun mouvement pour ne plus les effrayer. Alors les oiseaux reviennent, survolent la vigne. Certains vrillent autour des fruits mûrs et piquent dans les raisins de leurs petits becs jaunes et pointus.

— C'est beau ici ! s'exclame la petite fille en regardant les oiseaux qui reviennent se nicher dans la vigne. Où sommes-nous ?

— Dans le jardin d'un peintre.

— On est bien ici.

— On est bien, répond le peintre.

Agathe s'assoit sur une pierre moussue à l'ombre d'un figuier, face à la vigne, et s'amuse à suivre le jeu des oiseaux dans le feuillage.

Voilà longtemps qu'elle n'a pas été aussi calme. Si ses joues teintées de rose vif trahissent encore son exaltation passée, son visage est serein. C'en est fini de son entêtement à parcourir le tableau. Plus de course folle après la ligne d'horizon, elle a enfin découvert les couleurs et la lumière qu'elle y savait cachées.

Pier vient la rejoindre sous les larges feuilles du figuier. Assis côte à côte, ils se taisent.

A la commissure des lèvres qui pointent vers le haut, à l'esquisse d'un timide sourire, à la pommette saillante, à la mine modestement réjouie, on devine leur satisfaction. Semblables à des explorateurs qui viennent d'atteindre des régions inconnues, le peintre et l'enfant savourent en silence leur découverte.

Les minutes s'égrènent au sablier immobile. Personne n'a jamais entendu le tic-tac d'une horloge de peinture. Pier se rappelle l'Italie, se souvient de son pays. Et puis soudain, venant déchirer ces instants de paix, des cris au loin.

— A.a.a.gathe, A.a.a.gathe, A.a.a.gathe, où es-tu ?

— Zut, c'est maman qui m'appelle. Je ne lui avais pas dit où j'allais mais elle s'en sera doutée. Il faut que je rentre en vitesse si je ne veux pas me faire gronder.

— C'est ta mère qui t'appelle ! Mais c'est impossible ! Elle ne peut pas être ici. Enfin pas dans ma peinture. Je ne l'ai jamais peinte.

— J' te dis qu' c'est elle. Elle ne doit pas être loin. Chut, tais-toi. Écoute.

— A.a.a.gathe, A.a.a.gathe !

— C'est elle, j'en suis sûre. (Et l'enfant, toujours assise sur la pierre, tend exagérément le cou en direction des appels, pour mieux s'appliquer à les reconnaître.) Zut, et super zut, on ne peut jamais être tranquille un instant ! Il faut que j'y aille, si elle continue à crier comme ça, elle va finir par faire fuir les oiseaux, et moi je ne veux pas qu'ils quittent ton jardin.

Pier ne comprend pas comment la mère d'Agathe a pu les retrouver. Il s'inquiète :

— Lorsque nous sommes entrés dans le tableau, on a pourtant bien refermé la porte derrière nous !

— C'est moi qui l'ai fermée. Même que t'étais pas content ! s'empresse de lui rappeler l'enfant.

— Mais alors, comment a-t-elle fait pour nous rejoindre ?

— Alors ? Alors je ne sais pas. Faut aller voir pour savoir.

Cette sage décision est à peine prise qu'elle s'éloigne déjà et reprend le chemin en sens inverse. Elle traverse le jardin, franchit un minuscule potager et s'engage sur un sentier bordé d'églantiers.

— Par là, ce sera plus court, dit-elle à l'attention de Pier.

Mais Pier ne suit pas et s'attarde encore dans le jardin. Il semble que l'intervention de la mère d'Agathe l'ait cloué sur place.

— Dépêche-toi !

Lorsqu'enfin il se décide à bouger, au lieu de se précipiter pour la rejoindre, il s'approche de la vigne et se met sans raison apparente à fouiller le feuillage.

— Dis, tu viens ? On n'a pas de temps à perdre. On voit bien que ce n'est pas toi qui seras privé de dessert ce soir ! insiste l'impatiente.

— Oui, oui, j'arrive, répond le traînard en poursuivant malgré tout ses recherches au milieu de la vigne.

— C'est pas trop tôt, s'exclame Agathe une fois qu'il l'a rejointe.

Serait-il possible que Pier soit à ce point bouleversé par cette intrusion soudaine dans sa peinture ? Il faut le voir marcher dans les pas de l'enfant, la mine soucieuse, le corps voûté, les mains cachées derrière le dos. Et s'il ne prend pas la peine de répondre à la légère impertinence de sa jeune compagne, qu'il sait également irritée par ce brusque changement de situation, il ne peut s'empêcher de marmonner dans son dos :

— Mais comment a-t-elle fait ? Mais comment a-t-elle fait pour arriver dans ma peinture ? Et comme elle, d'autres pourraient tout aussi bien y parvenir. Où irai-je me réfugier si on entre dans ma peinture comme dans un moulin ?

— Ce que tu peux être agaçant ! remarque la fillette en se retournant vers lui. C'est pas la peine de te plaindre dans ta barbe. J' t'ai entendu. D'abord ma mère, elle n'est pas dans ta peinture, sinon elle serait déjà là. Je ne sais pas où elle est mais je peux t'assurer qu'elle n'est pas ici. Et puis ma mère elle n'aime pas les histoires de Droopy avec ses portes. Ma mère, elle ne sait pas ouvrir les portes.

— Tu as sans doute raison. Ne nous inquiétons pas inutilement, répond le peintre sans manquer d'associer la petite fille à sa crainte. Moi aussi, avant ton arrivée, je ne savais pas ouvrir les portes, poursuit-il comme pour racheter son instant de faiblesse. C'est toi qui m'as appris à le faire. Toi qui sais faire tant de choses et qui...

— Allons, allons, dépêchons-nous, coupe l'enfant, indifférente aux remarques flatteuses du peintre. Elle risque son dessert et s'expose aux réprimandes de sa mère, ce n'est vraiment pas le moment de parler de tout ça ! Il s'agit plutôt de trotter.

Comme prévu, le chemin était beaucoup plus court par le petit sentier, car les voici déjà revenus au milieu du village. Sur leur passage, tout semble s'illuminer d'un éclat joyeux, à croire qu'ils entraînent avec eux la lumière qu'ils ont découverte. Les maisons n'ont plus, comme à leur arrivée, ces formes inquiétantes ni ces aspects sévères, elles se montrent au contraire accueillantes avec leurs portes largement ouvertes, leurs fenêtres habillées de petits rideaux en coton perlé et leurs bouquets de roses trémières à l'entrée.

— Quand nous étions de l'autre côté, on

ne voyait rien de tout ça, s'étonne encore l'enfant alors que son regard s'attarde sur un massif de fleurs rouges.

— A.a.a.gathe, A.a.a.gathe !

— Les appels viennent de derrière cette maison. Traversons-la, propose Pier.

Mais il est encore sur le pas de la porte lorsqu'il s'aperçoit que, sans attendre son invitation, la fillette s'est déjà précipitée à l'intérieur de la bâtisse. Il la rattrape dans le couloir.

— Hé, pas si vite ! Tu pourrais attendre le vieux peintre.

— Le vieux peintre, il sait courir vite quand il veut. Comme après le monsieur noir dans le tableau..., réplique-t-elle, avec un brin de malice, sans ralentir sa marche.

— Oh ! s'exclame Pier. Mais prends quand même le temps de regarder où nous sommes.

Elle consent à s'arrêter un instant pour découvrir le décor qui l'entoure. C'est une sorte de vaste hall dans lequel viennent se jeter deux escaliers. Cela ressemble à l'intérieur d'une maison bourgeoise, mais cela rappelle surtout le passage qu'ils ont emprunté au début de leur exploration à travers le tableau.

Agathe, peu troublée de retrouver ces mêmes lieux, s'exclame : « Ça, c'est le mien ! » en désignant l'escalier de droite. Pier la regarde, se gratte la tête, songeur.

— Mais ça ne t'étonne pas de te retrouver là, comme ça, sans difficultés, à notre point de départ ? Ce village était pourtant un sacré labyrinthe ! Nous aurions pu nous y perdre !

— Non, ça n'a rien d'étonnant. C'est normal qu'on sorte du tableau par la porte par laquelle on est entré. Pour une fois que je n'entre pas par une fenêtre, tu ne vas pas me reprocher de passer par la porte !

— Non, bien sûr. Ce n'est pas ce que je voulais dire.

— C'est quoi ce que tu veux dire ? demande-t-elle en lançant vers le peintre un regard plein d'interrogation.

— Ce que je veux dire, reprend Pier après avoir marqué un instant d'hésitation, c'est que tu es une sacrée petite fille épatante.

— Épatante, épatante, épatante, renvoie l'écho. Agathe rit. Elle est heureuse que Pier lui dise une chose pareille. Et cette fois-ci, elle accepte son compliment comme un remerciement pour le beau voyage qu'elle lui a offert.

— Au revoir, Écho, à plus tard.

Les deux explorateurs se sont regroupés contre la porte. Ils ont convenu de ne l'ouvrir qu'ensemble, très doucement, en faisant attention à ne pas faire de bruit. Ils aimeraient éviter que la mère d'Agathe ne les surprenne au moment où ils sortiront du tableau. Ils ne souhaitent pas, autant l'un que l'autre, qu'elle découvre leur secret.

Agathe se tourne vers le peintre. Il vient de mettre un doigt sur ses lèvres pour lui rappeler que tout doit se passer sans bruit. Pourtant, il entame, comme s'il s'agissait du lancement d'une navette spatiale, un très discret compte à rebours. Trois, deux, un. Et à zéro très exactement, ils entrebâillent de quelques centimètres la porte. Tout va bien, c'est une bonne porte de peinture qui ne grince pas lorsqu'on l'ouvre.

Une petite tête se glisse dans l'espace qui vient d'être libéré. Une autre apparaît, un bon mètre au-dessus de la première. Comme Agathe vient d'apercevoir sa mère dans le jardin, elle n'hésite pas à pincer Pier violemment afin de le prévenir du danger. Sous l'effet de la douleur, il s'en faut de peu qu'il ne lance un cri qui les trahirait. Et il était bien inutile qu'elle le martyrise de la sorte, car lui aussi avait remarqué la jeune femme qui avançait timidement vers la fenêtre de l'atelier.

— Oui, oui, je l'ai vue, chuchote Pier à sa complice. Ce n'est pas le moment de sortir de notre cachette. J'ai l'impression qu'elle regarde dans notre direction. Souris, souris tant que tu peux, mais surtout ne bouge pas.

Le ton est autoritaire et Pier a l'air de si bien savoir ce qu'il convient de faire qu'elle n'hésite pas à suivre son conseil. Aussitôt elle force avec conviction sur les muscles de son visage et retrousse ses lèvres avec énergie pour mieux découvrir toutes ses dents. Mais elle exagère tant son mouvement que ses yeux se ferment sous la pression de ses joues crispées, si bien qu'elle ne peut plus voir sa mère. Agathe ne sourit pas, elle grimace. Ce jeu de cache-cache l'excite comme une puce mais elle ne peut garder très longtemps cette face bizarre. Insensiblement, ses muscles se détendent et ses yeux s'entrouvrent. « C'est mieux ainsi pour surveiller », constate-t-elle en se prenant pour une redoutable espionne. Pier s'est également pris au jeu et sourit lui aussi, mais d'une façon nettement plus gracieuse. Il s'amuse de cette situation qui l'oblige à épier dans sa propre maison. C'est étonnant ce que cette petite fille peut arriver à lui faire faire !

Plus que quelques mètres séparent maintenant la mère de la fille.

La jeune femme cogne au carreau et appelle monsieur Avellino. Elle semble extrêmement gênée de devoir importuner son voisin, elle n'a pas l'habitude de venir ainsi tambouriner chez lui. En effet, leurs cordiales relations de voisinage se sont jusqu'à ce jour toujours arrêtées sur le seuil de leurs maisons respectives. C'est à peine si elle ose jeter un regard furtif à l'intérieur. Si bien que la grande toile dans laquelle est figée son enfant ne retient pas davantage son attention que n'importe quelle autre toile de l'atelier. Elle constate simplement que personne ne se trouve dans cette pièce.

— Ne bouge pas, chuchote Pier entre ses dents. Peut-être va-t-elle s'en aller en ne te voyant pas ?

— Ça m'étonnerait ! répond Agathe en plissant davantage les yeux pour mieux éloigner le danger. Heureusement que nous avons découvert la lumière et que nous l'avons emportée avec nous. Sinon j'aurais eu peur de rester cachée ainsi dans un trou noir.

— Chut, dit Pier.

Depuis qu'il a été pincé, la petite main est restée agrippée à son pantalon. En suivant sa pression sur l'étoffe, il peut deviner les sentiments qui animent l'enfant. Comme celle-ci vient de se faire subitement plus forte, il craint que la fillette ait peur. Il cherche aussitôt à l'apaiser :

— Regarde, je crois que nous sommes sauvés !

Agathe ose ouvrir complètement les yeux. Sa mère a disparu.

— Vite, elle se dirige vers la porte d'entrée. Pendant qu'elle longe le mur de la maison, profitons-en pour sortir de notre cachette.

Agathe ne se le fait pas dire deux fois et pousse la porte.

Dans l'atelier, les toiles sont alignées, face contre face, un peu partout, au hasard des endroits restés libres au moment de leur abandon. La grande toile, celle qui mesure plus de deux mètres de haut et quelque cinq mètres de long, est la seule à occuper tout un pan de mur.

Comme si elle avait été découpée au couteau, la porte peinte se décolle de la toile. Rigide, elle tourne sur ses gonds. Au fur et à mesure de sa rotation un flot de lumière entre dans la pièce. Agathe jaillit au milieu de tout cet éclat, suivie du peintre qui s'empresse de refermer la porte derrière lui. Mais un souffle mystérieux vient de l'intérieur du tableau et s'oppose à son mouvement. Il est contraint de s'arc-bouter contre la toile. Agathe, voyant ses difficultés, vient lui prêter main-forte.

— La lumière ne veut plus se laisser enfermer, crie Pier, alors que les veines de son cou enflent affreusement sous l'effort.

— Tu devrais t'aider de tes deux mains, conseille Agathe en remarquant qu'il garde toujours une main cachée derrière son dos.

— J' peux pas, et il lance un violent coup d'épaule qui finit enfin par bloquer la porte.

— Monsieur Avellino, monsieur Avellino !

Avant de se diriger vers la porte d'entrée, monsieur Avellino prend le temps de regarder tout autour et d'inspecter son atelier comme s'il le découvrait pour la première fois. Après un si étrange voyage, il se méfie et se demande si d'autres surprises ne l'attendent pas. Or tout est comme « avant ». Il s'en va, soulagé, accueillir la jeune femme.

Agathe, en entendant sa mère, s'empresse d'épousseter sa robe et de frotter ses chaussures contre ses mollets, en sautant d'un pied sur l'autre. Sans doute histoire de les rendre propres et brillantes. Elle sortirait de l'exploration d'un grenier qu'on aurait oublié de visiter depuis des années qu'elle ne prendrait pas autant de soin à remettre de l'ordre dans sa tenue. Et personne n'est là pour apercevoir que, tout autour d'elle, voltige une pluie de lucioles et que de sa chevelure s'échappe comme une fine poussière d'étoile.

Sur le pas de la porte, Pier s'entretient avec la mère d'Agathe qui lui explique son inquiétude, l'absence prolongée de sa petite fille, ses recherches, sa gêne de devoir le troubler dans son travail, ses appels... Le peintre la rassure immédiatement sur son enfant, et lui propose aussitôt d'entrer. Et aussi étonnant que cela puisse paraître, il lance cette invitation sans crainte, sans aucune appréhension alors que voilà des années que personne, excepté Agathe, n'est jamais plus entré dans son atelier.

Loin d'être grondée comme elle se plaisait à l'imaginer, la jeune fugueuse est entraînée dans les bras de sa mère pour y être embrassée et cajolée. Parce qu'il se sent indiscret de devoir assister à leur joie sans pouvoir la partager, Pier préfère rester à l'écart. Il se cale dans un angle de la pièce, les mains derrière le dos, et prend son air de vieux peintre solitaire.

— Je me doutais bien qu'elle était chez vous. Depuis que nous habitons ici, notre Agathe n'a de cesse que de venir vous voir, lui confie la mère de la sacrée petite fille épatante. (Mais lorsqu'elle l'aperçoit blottie dans son coin, elle se hâte de poursuivre :) Je sais qu'elle vous dérange.

— N'en croyez rien. Elle a partout sa place.

— Mais elle ne sait tenir en place ! Voilà ce qui me désole !

— C'est parce que votre fille est une voyageuse. Elle veut toujours aller plus loin. Nous avons fait d'ailleurs ensemble un beau voyage.

— Nous avons fait de belles découvertes, reprend l'enfant toujours accrochée au cou de sa mère.

Redoutant qu'elle ne se livre à quelques confessions et dévoile leur secret, Pier enchaîne aussitôt :

— En effet, nous avons fait de belles

découvertes. Agathe m'a aidé à retrouver des richesses que je croyais perdues.

— Des richesses ! s'étonne la mère.

— Oui, des richesses. Comme ces quelques grains de raisin, poursuit le peintre en se rapprochant et en faisant apparaître de derrière son dos une belle grappe noire et brillante gonflée de grains ronds comme des billes.

— Oh ! le raisin des oiseaux ! s'écrie l'enfant en tendant les bras pour saisir le fruit.

— Oh ! du raisin en cette saison ! Mais c'est de la folie ! s'exclame à son tour la mère alors que la fille a déjà croqué dans la folie.

— C'est un vieil ami italien qui l'a ramené tout exprès pour Agathe. Il avait cru comprendre qu'elle craignait d'être privée de dessert ce soir, précise Pier sur un ton taquin alors que la fillette éclate de rire.

— Cette Agathe ! lance sa mère qui ne sait jamais si elle doit se réjouir ou se désoler d'avoir une pareille enfant. Mais la bonne humeur qui règne ici est contagieuse ; et comment pourrait-elle ne pas être heureuse quand toute la pièce se remplit des éclats de rire de sa petite fille ! Ses inquiétudes s'envo-

lent. Inutile de demander une fois encore si la présence de son Agathe tourmente le vieux peintre. Il se montre bien trop joyeux pour ne pas croire le contraire. Et subitement, elle s'étonne de se sentir si bien chez ce voisin qu'elle connaît à peine. Comme Agathe lâche son cou et se fait déposer sur le tabouret pour grignoter tout à son aise son dessert, elle se surprend à regarder autour d'elle les toiles du peintre, sans craindre un instant de le déranger. N'est-ce pas lui qui l'a si gentiment invitée à entrer !

Depuis qu'Agathe a quitté les bras de sa mère, Pier la surveille discrètement, il ne veut rien perdre du plaisir de la voir croquer à belles dents dans la grappe de raisin.

— J'aime bien la façon dont vous avez peint Agathe.

— Que dites-vous ? demande-t-il distraitement en abandonnant la contemplation de la petite gourmande.

— J'aime le portrait que vous avez fait d'elle.

— Je vous demande pardon !

Mais avant qu'il ait le temps de se récrier, d'affirmer que jamais il ne peint de portrait, d'Agathe pas plus que de n'importe qui, son regard croise sur la grande toile un autre regard. Agathe est sur son tabouret en train de manger des raisins. Mais Agathe est aussi sur la grande toile. Seul son regard est inscrit dans la peinture. Une mine malicieuse, des yeux rieurs. Impossible de se tromper. L'image d'Agathe est restée gravée dans la peinture.

— Vous aussi, vous n'êtes pas mal.

Au-dessus du portrait d'Agathe, Pier découvre son double. Le tableau n'a pas oublié leur passage. Il a gardé, comme seule sait le faire une photo instantanée, les marques de leur passage au moment où ils entrouvraient la porte pour espionner au-dehors. Les deux têtes peintes paraissent se moquer du peintre éberlué qui les regarde.

Alors que Pier va de surprise en surprise en redécouvrant sa peinture, Agathe continue le plus tranquillement du monde à picorer son raisin.

— Et là, dites-moi ce que vous avez voulu faire ?

Pier s'avance vers le tableau. La jeune femme désigne un endroit précis sur la toile où des touches de couleur sont superposées. Le peintre reconnaît l'emplacement où, d'ordinaire, il peint l'unique et noir personnage qui hante ses tableaux. La silhouette a disparu pour laisser la place à un repentir.

— Ce n'est rien. Juste le signe d'une hésitation.

On approchait de l'hiver mais le temps demeurait doux cependant. Pier Avellino travaillait dans son atelier en attendant la visite de ses voisins. Il s'activait aux derniers préparatifs. Comme un vent léger se leva et bouscula doucement les nuages qui obstruaient le bleu du ciel, un rayon de soleil vint se poser au bout de son pinceau.

DANS LA MÊME COLLECTION

1. **L'ÉNIGME DE LA MAIN VERTE**
   (Jean Cazalbou-Marie Fête)
2. **AU PIED DU MUR**
   (Hélène Montardre)
3. **LA CHEVAUCHÉE DE LA DÉLIVRANCE**
   (Michel Cosem)
4. **GEORGES BOUTON, EXPLOMIGRATEUR**
   (Gérard Moncomble)
5. **LES NAUFRAGÉS DU BOUNTY**
   (Giorda)
6. **VERS L'AMÉRIQUE**
   (Marie-Christine Helgerson)
7. **L'AVENTURE A LES PIEDS MOUILLÉS**
   (Josette Rauzy)
8. **HILAIRE, HILARIE ET LA GARE DE SAINT-HILAIRE**
   (Hélène Montardre)
9. **LE SECRET DU SCARABÉE D'OR**
   (Jackie Valabrègue)
10. **LA BÊTE DES HACHÉLÈMES**
    (Mireille Maagdenberg)
11. **L'ANNÉE DE LA SAUTERELLE**
    (Anne Bechler)
12. **MON MEILLEUR ENNEMI**
    (Max Dann)
13. **LE BEL ÉTÉ DE PONTABEILLE**
    (Suzanne Malaval)
14. **LEÇON D'ARITHMÉTIQUE AU GRILLON**
    (Vénus Khoury-Ghata)

15. PIÈGE SUR ORLANDA
(Jacqueline Held)

16. POUR TOUT L'OR DU MONDE
(Max Dann)

17. LISA L'INTRUSE
(Nadine Brun-Cosme)

18. L'ICE CREAM ÉTAIT PRESQUE PARFAIT
(Amélie Rangé)

19. DU RIFIFI DANS LES POIREAUX
(Robert Boudet)

20. LE COMMANDO DES PIÈCES-À-TROUS
(Pierre Coran)

21. HISTOIRES PRESSÉES
(Bernard Friot)

22. MÉMOIRES D'HUBERT, ÉCUYER DE JANVILLE
(Suzanne Sens)

23. L'ENLÈVEMENT DE BRUNISSEN
(Michel Cosem)

24. DANS DIX JOURS MOINS TROIS HEURES
(Claude Morand)

25. L'HEURE DU RAT
(Gérard Moncomble)

26. LE PAYS DES RIVIÈRES SANS NOM
(Pierre Pelot)

27. LE PIONNIER DU NOUVEAU MONDE
(Michel Piquemal)

28. PILOTIN DU CAP HORN
(Yvon Mauffret)

29. MIMI ET LE DRAGON
(Jean-Luc Moreau)

30. POUR L'AMOUR D'UN CHEVAL
(Alim Hekmat)

31. COCHON VOLE !
(Emily Rodda)

32. **LA ROUTE DES MATELOTS**
(Jean-Marie Robillard)

33. **LE FILS DU CHEF CANAQUE**
(Jacqueline Seyral)

34. **RAOUL À LA CONQUÊTE DE L'ANGLETERRE**
(Béatrice Rouault)

35. **THIERRY LE CHEVALIER SANS NOM**
(Jean-Paul Raymond)

36. **15e ÉTAGE, PORTE DROITE : LÉO**
(Nadine Brun-Cosme)

37. **LES ENFANTS SOUS LA LANDE**
(Hélène Montardre)

38. **L'AMULETTE DU GRAND CHEF YANOÃMA**
(Chantal Touzet)

39. **LE JARDIN DES ENFANTS PERDUS**
(Yvon Mauffret)

40. **L'INCROYABLE BARRY**
(Debra Oswald)

41. **L'HÉRITAGE DE GEORGES BOUTON**
(Gérard Moncomble)

42. **L'ÉTÉ DANS LA TOURMENTE**
(Suzanne Sens)

43. **LES YEUX D'OO**
(Gérard Moncomble)

44. **MIRANDA S'EN VA**
(Valérie Dayre)

ACHEVÉ D'IMPRIMER
SUR LES PRESSES DE L'IMPRIMERIE
PUBLI-OFFSET
MERCUÈS 46090 CAHORS

DÉPÔT LÉGAL : JUIN 1989
N° 89040 123